D1093931

Frontiere Einaudi

Castervé: la Langa, olio di Enzo Bianchi, 1965.

Enzo Bianchi

Il pane di ieri

Einaudi

ISBN 978-88-06-19488-8

Il pane di ieri

A Roberto Cerati
perché in-segna con brevi parole
e con il silenzio

Premessa

El pan ed sèira, l'è bon admàn

Difficile operazione ricordare, rileggere e raccontare il proprio passato, il mondo di ieri nel quale abbiamo vissuto. Operazione in cui si corre non solo e non tanto il rischio della nostalgia, quanto quello di rendere idilliaco ciò che in realtà non lo era affatto: rischio ancor piú facile se il nostro passato si situa in un mondo un po' perduto, come quello della cultura contadina, e se i ricordi risalgono a un'età precedente quella della maturità. Eppure resto convinto della verità di un detto della mia terra: *el pan ed sèira, l'è bon admàn*, «il pane di ieri è buono domani»... Come sempre nella saggezza contadina e popolare, il proverbio affonda le radici in un dato concreto, oggettivo – le grosse pagnotte che venivano conservate per piú tempo non si prestavano a essere mangiate fresche, ma davano il meglio del loro gusto un paio di giorni dopo essere uscite dal forno – per poi fornire un insegnamento piú vasto: il nutrimento solido che ci viene dal passato è buono anche per il futuro e i principî sostanziali che hanno alimentato l'esistenza di chi ci ha preceduto sono in grado di sostenere anche noi e di darci vita, gioia, serena condivisione nel nostro stare al mondo accanto a quanti amiamo.

Giunto alle soglie della vecchiaia, ho pertanto creduto bene per me, prima ancora che per eventuali lettori, rivisitare il mio passato proprio nell'ottica di cogliere in esso delle chiavi di lettura per il presente e il futuro. Vorrei che da queste pagine emergesse la ricchezza di umanità che ho ereditato dal mio vissuto, la gratitudine per quanto mi è stato dato di sperimentare, l'amore per la terra e per la compagnia degli uomini cui sono stato educato dalle vicende della vita, prima ancora che dalle persone che ho avuto accanto. Ma per non cedere alla facile e sterile mitizzazione di eventi e abitudini del «tempo che fu» ho preferito scrutare la realtà attraverso il filtro dei rapporti tra le persone, della concretezza delle loro esistenze, fatte di solitudine e di amicizie, di sofferenze e di gioie, di egoismi e di condivisione: un passato meno mitico, quindi, ma proprio per questo piú aderente alla realtà.

Queste pagine sono sí state scritte, ma in verità sono state prima raccontate a quanti amo: dire e narrare questo mio vissuto è il modo che ho per condividere ciò che mi ha plasmato e ciò che mi sta a cuore. Solo la comunicazione della mia fede cristiana con fratelli e sorelle è piú importante, decisiva ed essenziale. Ormai anziano, sento di essere un grande debitore a uomini e donne in mezzo ai quali e grazie ai quali sono venuto al mondo, debitore alla mia terra tra Monferrato e Langhe, debitore a tante creature che mi hanno sollecitato a pormi nei confronti delle realtà quotidiane della vita con domande, desiderio, attenzione, persone che mi hanno procurato gioia e consolazione. Non dimentico mai l'immagine che uno aveva entrando in casa mia: nella stanza la cui porta dava sulla strada – stanza che era

al contempo cucina, sala da pranzo, luogo di accoglienza della gente che veniva da mio padre per farsi stagna-
re le pentole o aggiustare la «macchina da verderame»
– mia madre deponeva sul tavolo ogni mattina una *gris-
sia* del «pane di ieri», un fiasco di vino, un orciolo di
olio e una saliera, tutto ricoperto da un tovagliolo da lei
ricamato con la scritta «l'olio, il pane, il vino e il sale
siano lezione e consolazione».

Sí, per me lo sono stati e lo sono ancora.

Bose, 3 marzo 2008.

Per un'etica della terra

Sarà perché sono ormai entrato nell'anzianità, età in cui le radici che continuano a dar linfa all'albero rigoglioso fanno sentire la loro funzione di ancoraggio alla terra per ciò che dell'albero appare; sarà per il bisogno di ripensare la sapienza che si crede di aver acquisito nella vita, o forse semplicemente per il ricordo della fatica di vivere; ma sta di fatto che sovente rivado alla mia vita in Monferrato negli anni del dopoguerra. Alla vita di quel piccolo paese di settecento anime (cosí si diceva allora) in cui sono cresciuto e sono stato educato, in mezzo a contadini e a gente semplice di campagna. Castervé, Nizza Monferrato, le rive dell'Erro e della Bormida dove andavamo a fare il bagno d'estate, quelle colline disegnate dalle viti e quelle rocche dissodate dall'aratro ancora trainato dai buoi, sono i luoghi dell'infanzia e dell'adolescenza, luoghi amati e lasciati per andare a Torino e scoprire, da giovane studente universitario, la vita della grande città in una delle sue stagioni piú vivaci e contraddittorie.

Se non c'era la fame, per molti c'era però ancora miseria e per tutti la vita era dura: dura per il lavoro della vigna, dura per l'isolamento in cui si viveva nelle cascine, dura per l'asprezza di una cultura intransigente in fatto di morale e austera nelle sue manifestazioni. In

casa, le parole erano poche. Il padre, quando rientrava
dal lavoro, sentiva il bisogno di alzare di tono e di ac-
cendere d'ira le poche espressioni che gli uscivano dai
denti per lamentarsi dei figli – testoni, ribelli, fannul-
loni... – o del cibo, preparato dalla moglie o dalle parenti presenti in casa: era il suo modo di riprendere pos-
sesso dello spazio familiare. D'altronde, in casa nessuna televisione da guardare; la radio, muta in un angolo,
mai accesa durante i pasti: il padre parlava, i figli chi-
navano il capo e lasciavano che le solite lamentele scor-
ressero sopra le loro teste, la madre faceva la spola tra
i fornelli e la tavola, per «servire», schivando cosí almeno a tratti le critiche del marito e accontentandosi
di mangiare qualcosa solo dopo, in piedi, da sola. In
molte famiglie c'era di fatto una violenza verbale e psi-
cologica, prima ancora che fisica, difficile oggi da immaginare, specie per quanti amano idealizzare l'antica
vita di campagna e tesserne le lodi.

Ma c'erano anche delle cene diverse, che a volte si
protraevano in un clima di serena bonarietà: erano le
serate dei giorni in cui si era fatto un buon raccolto – il
grano a giugno, l'uva a settembre e ottobre – che lasciava intravedere un futuro meno ansioso e cupo. Allora il
padre, con il cuore rallegrato dal vino nel bicchiere e dal
mosto nel tino, riusciva a trasmettere con arguzia quella sapienza monferrina ricevuta a sua volta dal padre,
eredità lasciata di generazione in generazione, modula-
ta sull'ininterrotto rincorrersi delle colline. E come
grappoli d'uva nel cesto, la sapienza si raccoglieva attorno ad alcuni «comandamenti», massime da imparare per vivere una vita «buona»: bella e felice no – per-

ché per i contadini la vita non è mai felice, anzi, «la vita l'è dura!» – ma buona e sana sí! Allora quei comandamenti risuonavano con forza e convinzione sulle labbra del padre e, almeno in quell'occasione acquisivano un'autorevolezza che oggi diremmo carismatica. Come il moscato avrebbero addolcito le giornate amare, come la barbera avrebbero dato corpo e colore ai giorni grigi, ma intanto erano comandi, aspri come acini acerbi, e come tali non si discutevano. Eppure quelle serate, come quelle primaverili di luna e falò, erano momenti preziosi nella loro rarità: le parole sembravano stillate dalla botte piccola, quella delle ore piccole con i grandi amici, e offerte ai figli, consegnate loro perché le accogliessero, le imparassero a memoria e cercassero di metterle in pratica.

Norberto Bobbio, di poco piú anziano di mio padre e originario di una terra prossima alla mia, nel suo *De senectute* ricorda tre di questi «detti» lapidari e in essi ho ritrovato, con qualche variante di dizione, gli insegnamenti di mio padre, il quale, forse ignaro della perfezione racchiusa nel «tre», era solito aggiungerne anche un quarto. Il primo – *Fa' el to duvèr, cherpa ma va' avanti!* – è una sorta di traduzione popolare dell'imperativo categorico kantiano: fare il proprio *dovere* a costo di crepare è il fondamento dell'etica individuale. Ognuno nella vita è chiamato a fare qualcosa, e quel qualcosa lo deve fare, è il suo dovere assoluto: esiste per ciascuno un compito che, per duro che sia, va svolto senza indugio, c'è un fine che va perseguito senza distrazioni. Elogio del dovere, dunque, posto sotto la legge della perseveranza: «fino a crepare». Cosa resta oggi, anche in Monferrato, di questo primo comando? Oggi in cui tutto è a breve durata, tutto è «in prova», tutto senza memoria; oggi in cui ogni scelta è rimandata e, non appena presa, è revocabile alla prima difficoltà; oggi in cui non si ha nemmeno la percezione che esista un «dover essere e fare» per ciascuno. Per quelli della mia generazione accogliere quel comandamento non lasciava spazio al dubbio: si abbracciava un compito che diventava una missione alla quale ci si dedicava senza mai demordere, stringendo i denti, tenendo duro. Del resto, l'irrequieto Alfieri domato dal «volli, sempre volli, fortissimamente volli» non era forse astigiano? Era una questione di fedeltà, senza la quale non vi poteva essere onestà né sul lavoro né nei rapporti. *Ist l'è el to duvèr!*, «Questo è il tuo dovere!» La frase chiudeva ogni discussione: se eri studente, dovevi studiare, e sodo, soprattutto se, come nel mio caso, potevi continuare a farlo solo conquistando borse di studio e presalari grazie alla media dei voti ottenuta. Ansia, angoscia di non farcela eppure nella vita occorre andare avanti e non tornare indietro, anche a costo di cadere sotto il peso insostenibile del proprio compito. Quest'obbligo morale diventava la spina dorsale dell'uomo monferrino e la vita stessa era letta come un dovere, un mestiere faticoso: «il mestiere di vivere», come aveva ben capito il langarolo Pavese.

Ma subito accanto a questo comando, pesante come un macigno, troppo duro da portare per molti, un secondo ammonimento, quasi volto a correggere possibili fraintendimenti da «superuomini»: *Esagerúma nenta!*, «Non esageriamo!» Parole pronunciate sovente come un adagio in reazione a espressioni altezzose, arroganti, vanitose: occorre avere il senso dei propri limiti, saper aderire alla realtà quotidiana, e chi meglio dei contadini sa scrutare i segni nel cielo tenendo saldamente i piedi per terra? «Chi parla troppo, esagera sempre – si diceva – e chi esagera racconta frottole»: l'invito a non esagerare era l'immissione di una sana diffidenza verso tutto ciò che a prima vista si impone, cresce, ha successo. Cosí, anche quando uno si costruiva la casa o ristrutturava la cascina, doveva cercare di farla bella ma modesta, senza accorgimenti appariscenti, senza ostentazione di ricchezza. Altrimenti, invece di grida di ammirazione, un ironico *esagerúma nenta!* sarebbe corso di bocca in bocca tra vicini e conoscenti. Negli edifici come nel vestirsi, nel raccontare se stessi come nel reagire al successo, era segno di saggezza, e fonte di stima, restare nella semplicità, lontano da ogni orgoglio e pretesa.

Il terzo comando suonava piú come un consiglio, una dose spicciola di saggezza del vivere di fronte a difficoltà che spicciole non erano: *L'è questiòn 'd nen pièssla*, «Si tratta di non prendersela». La vita era dura, sovente grama, le disavventure piú frequenti di oggi e non coperte da previdenze e assicurazioni: la siccità che non gonfiava gli acini, la grandine – la terribile «tempesta» che vendemmiava prima del tempo, trasformando i solchi della vigna in rigagnoli insanguinati –, la pioggia sui grappoli maturi che abbassava il grado alcolico e il magro guadagno, i rigidi inverni «lunghi come la fame»... E poi le vicende familiari, i problemi di salute, con la mutua che si limitava a rimborsare le spese sostenute e

non copriva i ricoveri e gli interventi piú costosi, le
scomparse premature che colpivano al cuore le famiglie
e le loro fonti di sostentamento... Allora, «è questione
di non prendersela», di attenuare il dolore, di cercare di
fermare la sofferenza, di allargare lo sguardo al di là del
male che ci ha colpito, di reagire per continuare a vivere senza farsi paralizzare dalle disgrazie. Non di cinismo si trattava, bensí della volontà di porre un limite
anche al dolore, di fissare e difendere un confine affinché il male non lo varcasse travolgendo l'intera esistenza. E poi, era un consiglio di saggezza anche di fronte
alle piú quotidiane calunnie, ai dispetti e alle offese ri-
cevute da vicini o parenti, un sano antidoto al rancore
e alla vendetta, un balsamo per quelle piccole e grandi
sofferenze frequenti nel per nulla idilliaco ambiente
agricolo.

Infine la quarta massima, quella che Bobbio non ci-
ta: *Mes-ciúma nenta el robi!*, «Non mescoliamo le cose!»
Principio minimo di ordine che successivamente, durante i miei studi, ho scoperto essere alla base delle pre-
scrizioni bibliche contenute nella tradizione sacerdota-
le sulla «purità». Non mescolare le cose – «non adulte-
rare» recita letteralmente il comandamento biblico di
solito tradotto con un improbabile «non fornicare» o
con un sessuofobo «non commettere atti impuri» – è
principio di ordine che esige trasparenza di pensiero,
chiarezza di discorso, rettitudine nell'agire. Ci sono – si
diceva nell'immediatezza del linguaggio contadino – cose degli uomini e cose delle donne, cose della religione
e cose politiche, cose di Dio e cose terrene, questioni di
interessi e questioni di affetti: non mescoliamo tutto.

Principio estremamente esigente, ma fecondo per i rapporti umani come per il dare forma alla propria vita: nessun ibrido, nessuno sconfinamento di campo, nessun appiattimento in un magma indefinito, ma il sapore schietto di un vino non tagliato.

Sí, questi quattro comandi monferrini sono per me un magistero umano che ha edificato la mia etica laica e che ancora oggi considero una coda necessaria ai dieci comandamenti consegnati a Mosè, una norma di vita ancora in vigore anche per i cristiani monferrini come me.

Chi è il padrone del tempo?

«Che tempo fa?»: domanda che risuona sovente fin dal mattino, quando uno si alza e va alla finestra per osservare il cielo, domanda pronunciata tra sé e sé, la cui risposta è cercata nelle previsioni meteorologiche alla televisione o nelle pagine dei quotidiani. Da sempre, l'essere umano sa che il suo modo di abitare «il tempo che passa» dipende anche dal «tempo che fa», un tempo, quest'ultimo, che condiziona il lavoro, gli spostamenti, l'umore di ciascuno. Oggi questi condizionamenti sembrerebbero minori di una volta: il lavoro in campagna riguarda una percentuale esigua degli abitanti dell'Occidente industrializzato, i mezzi di trasporto e le strade consentono spostamenti anche in condizioni atmosferiche un tempo proibitive... eppure l'interesse per «il tempo che fa» non è affatto diminuito, anzi è aumentato al punto che per alcuni è diventato un'autentica ossessione. Sí, ci si tiene costantemente aggiornati sul «meteo», se ne parla molto: la capacità – sconosciuta nei secoli passati – di prevedere il tempo con un anticipo di almeno una settimana spinge infatti a «sapere», a commentare, a discutere, anche se poi assai raramente ci si lascia determinare dal tempo nelle scelte e nei comportamenti.

Ma all'interno di questa «ossessione» c'è un altro

aspetto che riguarda la lettura che ognuno di noi compie del «tempo che fa»: questa dipende essenzialmente da quanto ci dicono i mass media, verso i quali c'è un atteggiamento di fiducia quasi fideistica che toglie la possibile oggettività, il discernimento personale, la capacità di giudicare da se stessi a partire dall'esperienza e dal ricordo degli anni precedenti. Così, quando sta piovendo e noi leggiamo, ascoltiamo e vediamo servizi su piogge torrenziali, alluvioni, inondazioni e diluvi, siamo presi da paura e sgomento come se la pioggia in sé fosse una novità imprevedibile; oppure la pioggia tarda a venire e subito ci vien fatto intravedere il deserto che avanza: allora immaginiamo già le nostre verdi colline riarse, senza più viti né alberi... Se poi in estate fa caldo, assieme al televisore accendiamo il condizionatore e ci angosciamo per il surriscaldamento del pianeta e lo scioglimento dei ghiacciai. Previsioni disastrose, pessimistiche mettono in movimento una grammatica apocalittica che preannuncia «eventi biblici» (tra l'altro non si capisce perché gli eventi biblici, che sono eventi umani, devono essere tutti disastrosi, epocali...). C'è sempre un'apocalisse meteorologica incombente, così le nostre paure del domani si concentrano ancora una volta sul tempo: non più la fine del tempo – questo ormai è divenuto un *æternum continuum* – ma il «che tempo fa?» è divenuto l'oggetto delle nostre paure.

E la gente si ritrova a ripetere le frasi di sempre: «Il tempo è cambiato... Non ci sono più le stagioni... Mai visto un tempo simile... Non c'è più il tempo di una volta... Ormai il tempo è matto...» Parole che ritroviamo già ai tempi di Lucrezio, attento osservatore delle cose della natura, quando si ammoniva a non dire: «quand'e-ro piccolo nevicava tantissimo, adesso non nevica piú...»; quando si è piccoli, infatti, anche se la neve è poca, sembra sempre molto alta! In realtà siccità, pioggia, inondazioni, tempeste sono emergenze periodiche di tutte le epoche e di tutti i luoghi: emergenze che cancelliamo dalla nostra memoria e che cosí ci appaiono ogni volta come novità inedite. Se le variazioni climatiche avvengono dunque su cicli ben piú ampi che il semplice volgere di un paio di generazioni, è il rapporto che oggi si ha con «il tempo che fa» a essere cambiato rispetto a quello che viveva anche solo la mia generazione fino a quarant'anni fa, soprattutto in campagna.

Per me, che abitavo in Monferrato, tra colline coperte di filari di vite e piccole pianure chiazzate da campi di grano, il tempo meteorologico era anche allora, soprattutto d'estate, una vera ossessione: ma ossessione di paura preventiva che accompagnava tutti, da maggio fino a ottobre. Dal tempo dipendeva «il pane», ovvero la sussistenza alimentare della gente contadina, e del tempo la radio dava sí qualche previsione, ma molto incerta, per vaste aree, sovente fallace, per cui non ci si fidava di quel che diceva. Ma di cosa ci si fidava, allora? Della religione, del prete, della preghiera... Del resto sappiamo che in tutte le culture si sono sempre praticati riti per implorare la pioggia, per chiedere il sole, per ottenere il regolare e pacifico scorrere dei fiumi. L'essere umano, infatti, si è sempre sentito impotente a dominare il tempo e, quindi, portato a ricorrere agli dèi come all'unica e ultima speranza.

A fine aprile, per San Marco, iniziavano le cosiddette «rogazioni»: al mattino presto si partiva in processione attraversando le campagne, cantando le lunghe litanie dei santi e chiedendo un'annata feconda di frutti. Il prete cantava in latino il Vangelo sulla porta della chiesa: «Quale padre, tra voi, se il figlio gli chiede un pane, gli darà una pietra? O se gli chiede un uovo gli darà uno scorpione?» «Dunque, occorre chiedere, – proseguiva il prete, – chiedere con insistenza a Dio, e Dio concederà il tempo propizio e raccolti abbondanti...» Se poi qualcuno gli faceva osservare di aver chiesto e di non essere stato esaudito, il prete rispondeva che questo dipendeva dal fatto di aver chiesto male oppure dall'essersi comportati in modo tale da meritarsi il mancato esaudimento. E ai piú sembrava che le parole del prete fossero fondate perché a volte succedeva – e non si mancava di farlo notare – che la grandine colpisse i filari di quelli che «non prendevano messa» o che erano soliti bestemmiare, allora si temeva ancor di piú quel Dio che «castigando guariva» (*castigando sanas*). Certo, non mancavano quelli che irridevano questi atteggiamenti e ne mostravano la contiguità con la superstizione, ma resta il fatto che al prete allora veniva riconosciuta autorevolezza ed efficacia, quasi fosse un nuovo profeta Elia, capace di chiudere e aprire il cielo per il bene del proprio gregge.

L'angoscia per un evento atmosferico che in pochi minuti poteva distruggere un anno di lavoro era motrice di parole e azioni straordinarie che oggi fatichiamo non solo a credere ma perfino a immaginarci. Quando, da maggio in poi, appariva all'orizzonte «lo scuro», cioè le avvisaglie di un temporale, tutti uscivano di casa e stavano sull'uscio ad osservare il cielo: se la minaccia veniva da Nizza, si annunciava un temporale particolarmente cattivo, se invece saliva da Acqui era meno pericoloso. E mentre la banderuola sull'asta della croce della chiesa cigolava sotto i colpi del vento, quando ormai il temporale era incombente e apparivano le terribili nubi piú basse color caffelatte, nuvole piene di grandine, il parroco chiamava il chierichetto – quasi sempre ero io, perché abitavo proprio di fronte alla parrocchiale ed ero già lí sulla soglia di casa a scrutare a mia volta il cielo –, si vestiva con i paramenti liturgici, in particolare il piviale viola, e partiva risoluto incontro al temporale, con me accanto che portavo il secchiello dell'acquasanta. Tra tuoni e lampi che scuotevano la terra, il parroco avanzava deciso fendendo l'aria con l'aspersorio e con voce ferma implorava che Dio fermasse la grandine: «Per Deum verum, per Deum vivum...!» Rivedo ancora oggi quelle immagini: il parroco con il volto duro, carico delle ansie e delle attese di tutti i suoi parrocchiani, le vesti scosse dal vento, incurante della pioggia che cominciava a cadere, affrontava a viso scoperto il demone della «tempesta».

Io ero impressionato dalla sua fede, la sua convinzione, la sua forza d'animo... mentre la perpetua contribuiva con scongiuri piú «popolari», come il bruciare rami di ulivo benedetti. E cosí, il piú delle volte la grandine era scongiurata: il mio parroco, don Montrucchio, aveva fama nella zona di essere uno dei preti piú efficaci in queste suppliche e io attribuivo questo suo potere alla sua preghiera intensa, alla sua ricca umanità, al suo saper farsi carico morale e materiale dei cristiani a lui affidati. Mi appariva davvero come un amico di Dio e allora, mi dicevo, come potrebbe un amico negare un favore all'amico?

E come dimenticare le *orationes diversæ* che tutti, grandi e piccoli, conoscevamo a memoria? C'era quella per ottenere la pioggia, che invocava Dio «in quo vivimus, movemur et sumus» per ottenere contro la siccità una «pluviam congruentem»; quella per il sereno, che chiedeva sole sul mondo e che osava dire che se il Signore faceva cessare le piogge torrenziali ci avrebbe mostrato il sorriso del suo volto («hilaritatem vultus tui»); poi quella contro la tempesta, la grandine, il nemico terribile dei campi di grano maturo e delle vigne: se si abbatte sui filari li spoglia completamente lasciando uno spettacolo di tremenda desolazione che provoca pianto e disperazione. A quei tempi non esistevano assicurazioni contro queste calamità, né razzi antigrandine, né reti di protezione: nella mia infanzia del dopoguerra, la grandine sui grappoli pronti per la vendemmia significava letteralmente la fame. Solo il parroco e il suono di tutte le campane avevano qualche potere contro quella calamità.

Sí, fino all'inizio di ottobre, quando finiva la vendemmia, interi paesi vivevano cosí con quell'ansioso interesse per il «tempo che fa», tanto diverso dalla curiosità un po' frivola dei nostri giorni. Ieri era Dio colui in cui si aveva fede e fiducia, oggi sembra essere la meteorologia... Cos'è meglio, piú umano e piú bello? Da parte mia, su questo non ho dubbi.

Al canto del gallo

Quando oggi parliamo dell'udito e di ciò che esso recepisce, pensiamo subito al rumore, alla mancanza di silenzio e non a caso l'inquinamento sonoro è ormai percepito come un problema ecologico. Del resto, l'udito è un senso sempre in funzione perché le nostre orecchie sono sempre aperte: a differenza degli occhi e della bocca, non possiamo chiuderle e quindi questo doppio orifizio, nonostante la sua apparente passività – non si muove, né morde, né penetra, né cattura... – è in realtà l'unico a essere sempre in funzione, giorno e notte. Sempre aperte sul mondo, le orecchie non sanno opporre nessuna chiusura: possiamo solo tendere l'orecchio oppure fare i sordi, ma non possiamo impedire al suono di raggiungerci. Cosí, se l'occhio cattura la visione e può fermarsi a contemplarla, se la mano può stringere e continuare a palpare e sentire, se la bocca può continuare a gustare, l'udito può solo ascoltare nella fugacità del suono e non può nulla trattenere né contemplare. Diciamo «porgere l'orecchio» ed è un atto provvisorio perché il suono, una volta ascoltato nella sua forza, non è piú, è già passato.

Forse anche per questo il passare del tempo – quel tempo cosí «fugace» – è stato espresso piú con il suono che con la vista: una volta in città giravano le sentinelle che gridavano le ore oppure erano gli squilli di tromba a segnare il tempo. Piú tardi, in città e nei villaggi, si sono diffuse le campane. Sí, le campane, quelle che oggi non sono piú tollerate nei rari casi in cui il silenzio circostante le rende ancora udibili, quelle campane che al mattino disturbano pacifici cittadini che desiderano dormire, magari dopo aver schiamazzato per l'intera notte. Cosí, mentre da turisti nei paesi musulmani si ascolta il grido del muezzin – peraltro sovente affidato a dischi collegati all'altoparlante – come una simpatica novità, tornati a casa si è infastiditi dalle vecchie campane nostrane.

Dimenticate o vituperate, le campane tendono a non suonare piú e comunque quando rintoccano nessuno riesce nemmeno ad ascoltarle, soffocate come sono dal frastuono del traffico e dell'attivismo incalzante. Ma il ricordo della mia generazione va con gratitudine a quei suoni che scandivano la vita nei paesi di campagna, ed erano ascoltati come moniti quotidiani. Erano le campane, infatti, a interrompere il grande silenzio della notte: al mattino, a un'ora che variava con il variare dell'alba, suonava l'*Ave Maria* e la gente si alzava – in inverno era ancora buio – per iniziare i lavori della stalla. Poi si udivano nuovamente a mezzogiorno, per segnare la pausa dal lavoro nei campi e il tempo del pasto frugale, e infine rintoccavano ancora a sera, per richiamare ciascuno attorno al focolare, assieme ai suoi cari.

Cosí le campane ritmavano il passare del tempo e avvolgevano la vita delle comunità, aiutandole nella loro identità e fornendo loro un vero linguaggio di comunicazione a distanza. Strumenti capaci di essere interpretati da tutti, parlavano una lingua universale che narrava le gioie e i dolori e scandiva l'esistenza della gente. Il loro suono aveva soprattutto la capacità di radunare l'intero paese, di chiamarlo a raccolta a qualsiasi ora. Infatti, oltre che del regolare scorrere dei giorni, le campane erano annunciatrici di gioia e di dolore, di morte e di pericolo incombente: tutti nel medesimo istante potevano essere avvertiti che era accaduto qualcosa, che un evento aveva toccato la collettività, e ai rintocchi inattesi si affrettavano in piazza per conoscere il motivo di quel ritrovarsi insieme. Ma qualcosa lo si poteva già intuire dal semplice suono, perché le campane rintoccavano in modo diverso a seconda delle circostanze e la combinazione dei loro suoni esprimeva sentimenti differenti: timbro, ritmo, numero dei colpi, durata chiedevano ascolto e discernimento.

Per chi e per cosa suonava la campana? Di notte, per esempio, tacevano e il loro improvviso rintocco a martello annunciava un incendio in qualche cascina e richiamava tutti ad accorrere per spegnere il fuoco... Di giorno, invece, suonavano per avvertire che qualcuno stava per morire, «suonavano l'agonia» e il numero diverso dei rintocchi rivelava se era un uomo o una donna, sicché ciascuno poteva immaginare un nome e un volto dietro quel suono: allora ci si affacciava sulla soglia di casa per vedere la direzione presa dal prete che, accompagnato da un chierichetto con un ombrello bianco, portava il viatico al moribondo. Poi, con un suono diverso, le campane ne annunciavano la morte e si univano alla tristezza dei funerali, indicando con il rintocco della campana piú grossa – chiamata appunto campanone –

l'«andan-a», l'arrivo della salma. Mesta e solenne sembrava accompagnare con il suo timbro profondo i passi della processione: sí, allora nessuno moriva solo.

Ma anche i momenti di festa e di gioia erano segnati dalle campane: simpatici carillon annunciavano la domenica, mentre uno scampanio ancor piú solenne e armonioso si distendeva ad aprire le grandi feste e la festa del paese. Le campane erano una presenza eloquente al cuore della società contadina, anche se oggi è impensabile poter sperimentare le sensazioni che esse suscitavano. Ognuna aveva addirittura un nome diverso e molte recavano iscritte preghiere, soprattutto contro la grandine, la tempesta, i fulmini... Cosí, quando sul campanile ne veniva issata una nuova era un evento di grande festa: la campana veniva benedetta, unta con il crisma e si chiedeva a Dio che essa fosse capace di fugare i mali atmosferici come i mali sociali che minacciavano la gente del paese.

Forse è proprio per la loro capacità di far convergere verso l'unità che la gente si fidava delle campane, le percepiva come alleate dell'insieme del paese, confidava nel loro potere di difenderlo contro le intemperie. Naturalmente non vi era alcun meccanismo automatico ad azionarle, solo le corde abilmente tirate del campanaro: cosí, se in caso di grandine restavano mute o iniziavano a suonare troppo tardi, tutti imputavano al sacrestano la distruzione abbattutasi sulle vigne...

Ma che fine ha fatto oggi quest'oggetto cosí amato e popolare? Povere campane: da linguaggio comune, da strumento di comunicazione eccezionale, da «difensori civici», quando non sono scomparse del tutto o ridot-

te al silenzio, vengono trascinate sul banco degli impu-
tati per inquinamento acustico! Io mi rallegro che nella valle in cui vivo, adombrata da boschi e abitata solo
da noi monaci e da qualche anziano, le campane siano
ancora libere di suonare, già al mattino alle 5,30 e poi
durante il giorno, a ritmare come un tempo l'ordinario
e lo straordinario delle nostre vite: le ore del lavoro e del
riposo, il ritrovarsi per la preghiera e per i pasti, ma anche l'arrivo imprevisto di un amico attorno al quale strin-
gersi con affetto, l'annuncio pasquale al cuore della notte, la trepida invocazione perché la grandine risparmi il
frutto della fatica dei campi...

Quando la nostra memoria corre verso il campanile,
un'altra immagine emerge dall'oblio, anch'essa legata a
un suono ormai in via di estinzione: il gallo, banderuola che segnava il vento come la campana segnava il tempo. Ma quella sagoma di ferro rimandava a una realtà
in carne e ossa, dotata soprattutto di un canto cosí ca-
ratteristico, il canto del gallo, che da «banditore» del
giorno è stato bandito dalle nostre esistenze: confesso
che per me è sempre stato ed è il suono quotidiano piú
straordinario, piú desiderato, piú amato. Dopo una prima avvisaglia incerta nel cuore della notte, ecco che non
appena spunta all'orizzonte un po' di chiarore, foriero
dell'alba e dell'aurora, risuona sicuro il canto del gallo.
È il gallo che ha da tempo immemorabile l'incarico di
annunciare la luce alle cose, quasi che il suo canto im-
perioso ingiunga: «Fuori la luce!» Simbolo della vigi-
lanza, già negli inni scritti da sant'Ambrogio – detti appunto «ad galli cantu» – è chiamato «notturna luce ai
viandanti» perché «separa la notte dalla notte»: cosí «il

gallo sveglia chi dorme e incita i sonnolenti». Ma è il versetto di un altro inno che ancora oggi mi torna alla mente ogni mattino: «Gallo canente spes redit», «con il canto del gallo ritorna la speranza». La speranza di un nuovo giorno, la speranza che la notte sia vinta dalla luce, la speranza che i fantasmi notturni fuggano per cedere il posto alla realtà della vita, sempre piú bella di ciò che sogniamo, una speranza di cui tutti abbiamo cosí bisogno...

E del resto il gallo, lo sappiamo, è significativamente presente nei momenti piú tragici di vicende umane fortemente evocatrici: Socrate, bevuta la cicuta e ormai morente, manda Critone a portare un gallo a Esculapio; nei Vangeli è il canto del gallo che scandisce il tradimento di Pietro... È questa una figura dai tratti a volte inquietanti che ritroviamo sovente nei dipinti di Chagall, dove il gallo sembra accompagnare deportazioni e crocifissioni.

Di certo, assieme alle campane, il canto del gallo era uno dei suoni piú presenti nella vita di campagna, dove nella notte il silenzio sembrava covare la terra, mentre di giorno l'unico suono era il muggito dei buoi, il rumore dei carri che attraversavano lenti le strade del paese e qualche raro abbaiare dei cani. Di tanto in tanto si poteva udire la voce ritmata e incalzante degli ambulanti come l'acciugaio e l'arrotino che percorrevano il paese gridando, oppure quella delle *lingère*, poveri viandanti che vendevano «carta da lettere» oppure compravano pelli di coniglio, stracci e ferri vecchi... Campane, galli, venditori: suoni, rumori e figure oggi smarriti, che rendevano ancor piú parlante un silenzio che non ritroviamo piú e che non riusciamo nemmeno a immaginare. Viene da chiedersi se, assieme a questo silenzio, non abbiamo smarrito anche la segreta sapienza di una quotidianità piú rappacificata con la natura e con gli altri e l'ascolto di suoni destinati a tutti.

Come dire «Ti voglio bene»

Parliamo di cibo. Non se ne può fare a meno, soprattutto per noi monferrini: il cibo è qualcosa per cui si ha cura, si deve «aver cura» perché è proprio dal mangiare, dalla tavola che si ricevono lezioni e insegnamenti, oltre che consolazioni. La tavola possiede o, meglio, possedeva un grande magistero: oggi purtroppo per molti il cibo è diventato un carburante e la tavola una mensola su cui posare ciò che si consuma. Si mangia qualsiasi cosa, a qualsiasi ora, in qualsiasi modo, accanto e non «insieme» a chiunque e, possibilmente, in fretta...

Invece per me la tavola è stata sempre, e lo è tuttora, il luogo privilegiato per imparare, per ascoltare, per umanizzarmi. Non è stato forse cosí fin dall'inizio della vicenda umana? È quanto affermano gli antropologi, ma è anche quello che verifichiamo noi stessi se usiamo l'intelligenza per esercitarci alla consapevolezza di quello che facciamo. L'umanizzazione è passata principalmente attraverso la tavola, dalla nutrizione alla gastronomia (intesa nel senso letterale di «legge del mangiare»), dalla scoperta della coltivazione all'adozione del piatto, all'uso della tavola come luogo di incontro e di festa. L'uomo ha cessato di essere un divoratore, un consumatore, frapponendo fra sé e il cibo riti di macellazione, tecniche di cottura, maestria di miscelazioni, arte della presentazione dei piatti, del cibo e del vino: insomma, l'uomo ha abbandonato l'atteggiamento dell'animale cacciatore che mangia la sua preda per assumere quello di chi crea un rapporto con il cibo.

L'uomo è un essere che ha fame e il mondo intero è il suo cibo, l'uomo deve mangiare per vivere, deve assumere il mondo e trasformarlo nella propria carne e nel proprio sangue. L'uomo è quel che mangia e il mondo è la sua tavola universale, ma in questa operazione c'è lotta contro ciò che è animalesco e c'è tragitto di cultura, di comunicazione, in vista di una comunione non solo tra gli esseri umani, ma tra l'umanità e il mondo.

Non posso dimenticare alcuni tratti dell'articolata eppur essenziale operazione del «mangiare a tavola», così come li ho appresi dal vissuto quotidiano della mia terra. La cucina, innanzitutto: un'autentica officina, anche nelle famiglie povere com'era la mia, in cui si intrecciano acqua, fuochi, aromi, prodotti dell'orto e della campagna, frutti del proprio lavoro ma anche dello scambio con culture piú lontane: l'olio, il sale, le acciughe, il tonno... Sí, la cucina è il luogo che pone un salutare «frattempo» tra i prodotti e il loro consumo, ma ha soprattutto il pregio di riunire ciò che dalla natura giunge a noi separato e di trasformarlo in modo che la natura sia intersecata dalla cultura. La cucina è la palestra d'esercizio di tutti i sensi, perché è soprattutto in essa che si impara fin da bambini a distinguere il buono dal cattivo, il duro dal tenero, il dolce dall'amaro: la prima esperienza che noi abbiamo fatto del buono e del cattivo è passata attraverso il cibo, così che per tutta la vita usiamo queste due categorie per definire persone o eventi; perfino nel campo della morale il parametro con cui determinare ciò che è bene e ciò che è male si rifà alla distinzione primordiale tra buono e cattivo. La «semantica» fondamentale l'abbiamo imparata con la bocca: ciò che è commestibile e ciò che non lo è, ciò che possiamo mettere dentro, mangiare, assimilare e ciò che assolutamente deve restare fuori. Né posso dimenticare i comandamenti che venivano insegnati a noi piccoli e che dovevamo imparare a memoria come un decalogo laico, umano, che ci avrebbe assicurato salute e gioia: «Mangiare solo se si ha fame; mangiare quel che piace e che non fa male; mangiare con calma, non come le oche; alzarsi da tavola con un po' di fame; a tavola cercare di stare allegri»... Sapienza straordinaria, che però confesso di non aver assimilato interamente e che quindi mi suscita un certo senso di colpa nel rievocarla.

Io amo cucinare, e lo faccio in un grande silenzio perché cucinare significa pensare, essere consapevoli, essere presenti e avere un senso forte della realtà e degli altri per i quali si cucina. Cucinando si è obbligati a una unificazione di aspetti molteplici: le leggi culinarie, le attese di chi mangerà, la conoscenza dei prodotti, l'esperienza del fuoco, dell'acqua, del tempo... Operazione straordinaria che rende intelligenti. Si pensi, per esempio, a un'operazione che al tempo della mia infanzia e adolescenza era quotidiana: preparare la «salsa» per la pasta, quello che oggi si chiama sugo o ragú. Al mattino presto la donna di casa, la madre di famiglia iniziava le operazioni: faceva un battuto di lardo e con la mezzaluna – questo essenziale e glorioso arnese da cucina – tritava le cipolle bionde e lo scalogno che poi lasciava soffriggere nel tegame di terracotta senza che rosolassero; a un certo punto aggiungeva sedano e carota tritati, rosmarino, salvia, due foglie di lauro, un pizzico di pepe e continuava a far cuocere il tutto a fuoco bassissimo (e anche questo richiedeva non poca abilità, se si considera che non si usavano i fornelli a gas, bensí la «cucina economica», sapiente trasformazione moderna dell'antico focolare in un piano in ghisa con anelli concentrici riscaldato dal sottostante fuoco a legna). Quindi si aggiungeva la carne a pezzetti: non sempre, dati i tempi di miseria, ma ogniqualvolta bisognasse «segnare la festa». Allora apparivano i fegatini di pollo, un po' di carne di vitello o di maiale e, una volta che questa era rosolata, ecco la «conserva» di pomodoro, preparata d'estate e messa in bottiglie. A volte si innaffiava con un buon vino rosso e si salava il tutto con molta attenzione alla misura... Tutto fatto? No, il ragú doveva sobbollire lentamente per due o tre ore, finché si fosse addensato e ricoperto di un velo scuro dato dai succhi delle carni. E poi, la «salsa», il ragú non doveva mai essere abbandonato a se stesso, in nessuna fase della sua cottura: se non è sorvegliato, soffre! Nulla induce alla riflessione come l'accudire a un ragú...

Che meraviglia! Prodotti che venivano dall'orto e dal pollaio, ma anche l'olio che veniva dalla Liguria, il sale dalla Sardegna, il pepe dal lontano Oriente... Alimenti convocati insieme da terre diverse per «fare gusto» e per «fare festa»: sí, in un semplice ragú si contempla la natura che diventa cultura, l'umile locale della cucina che si trasforma in laboratorio d'arte che sforna profumi e sapori. Pochi ci pensano, ma il cibo, come il linguaggio parlato, serve a comunicare, a conoscere e scambiare le identità perché esprime sí l'identità di una terra e della sua cultura, ma sa assumere anche prodotti che vengono da altri lidi e altre culture: anche il semplice ragú è tributario di regioni cosí lontane. Sono da commiserare coloro che vivono nell'inconsapevolezza e nell'ignoranza e che, in nome della conservazione dell'identità e delle proprie radici, chiudono le porte di casa, alzano muri che vorrebbero invalicabili, difendono i loro cibi e si dimenticano come questi siano carichi di debiti verso chi in terre lontane ne ha coltivato le materie prime, le ha fatte crescere e poi raccolte: persino nel «cacciatorino» piú nostrano, prodotto locale per eccellenza, le spezie che lo aromatizzano giungono dall'Oriente asiatico...

Anche in questo senso l'*uti*, l'uso, non dimentica mai che esiste al servizio del *frui*, del piacere! Sí, il vero cuoco – al di là del fatto che cucini per un ristorante di fama, per una sperduta trattoria, per qualche amico o semplicemente in famiglia – è una persona che aderisce alla realtà a tal punto da saper usare con maestria tutti gli elementi naturali, facendo sprigionare il potere dell'acqua, del fuoco, i segreti dell'alchimia culinaria, e tutto questo per procurare piacere. È significativo che il verbo latino *sàpere* indichi non solo «avere conoscenza», ma anche «essere gustoso» e del resto anche in italiano quest'unica radice accomuna sapere e sapore. Il cuoco allora ha bisogno sí di una conoscenza «tecnica», ma soprattutto di una conoscenza pratica esercitata da tutti

i sensi: quando ha davanti a sé gli alimenti, li guarda, li
contempla, li tocca, li odora, li assaggia... e dovrebbe
esercitare non solo la vista, il tatto, l'odorato, il gusto,
ma anche l'udito: saper riconoscere, per esempio, lo sfri-
golio del burro o lo spumeggiare del vino vivace.

Accanto all'officina della cucina c'è poi l'epifania
della tavola: lí la cultura spicca il volo, il mangiare diventa convivio, l'occasione quotidiana di comunicazione e di comunione. Gli animali mangiano cibo crudo,
senza prepararlo, ognuno per sé, ma noi uomini abbiamo inventato il mangiare insieme, la tavola, polo verso
cui convergiamo ogni giorno. Ma cosa fa di un tavolo
una «tavola»? Innanzitutto il fatto di incontrarsi guar-
dandosi in faccia, comunicando con il volto la gioia, la
fatica, la sofferenza, la speranza che ciascuno porta dentro di sé e desidera condividere. Sí, pranzare o cenare
insieme non è mai anodino: qualcosa dell'istante dell'e-
vento si inscrive profondamente in noi e certi momenti pur effimeri assumono un profumo di eternità. Anche per questo nella tradizione cristiana antica prima di
iniziare a mangiare, si diceva una preghiera, si pronun-
ciava una benedizione. Certo, per chi crede, i cibi sono
già benedetti: li ha creati Dio e non c'è nessuno «scon-
giuro» da fare su di loro, ma questa tradizione serve al-
l'uomo per dire grazie al Signore, per prendere consapevolezza di quello che sta davanti a noi sulla tavola e
quindi respingere la tentazione di divorare quanto sta
nel piatto.

Ma una simile presa di distanza farebbe bene a
chiunque, indipendentemente dalla propria fede. Si
tratta di sostare un attimo e porsi alcune domande, sem-

plici ma fondamentali: «Da dove viene questo cibo? Chi
ha coltivato questi frutti? Chi li ha procurati con il suo
lavoro? Chi li ha cucinati?» Domande che ci insegna-
no a ringraziare, a riconoscere, a essere grati e consapevoli dei molteplici rapporti di cui è intessuto il nostro
vivere. Che amarezza quando gli ospiti mangiano senza neanche chiedersi chi ha cucinato, che tristezza quando se ne vanno senza neanche passare in cucina a ringraziare, a dire quanto si è apprezzata quella pietanza,
a informarsi su quel manicaretto...

Come per il cuoco, anche per i commensali tutti i
sensi dovrebbero essere coinvolti quando si inizia a
mangiare: si guardano i piatti, preparati anche per gli
occhi, si odora per cogliere aromi e profumi, si sente
con il tatto il caldo e il freddo, si gusta con il palato...
Sembrerebbe escluso l'udito, in realtà anch'esso va at-
tivato, e non con un televisore acceso: basta far tintin-
nare un bicchiere e scambiarsi un saluto e un augurio
con chi ci sta accanto e anche le nostre orecchie saranno allietate da quel suono cristallino cosí augurale e
gioioso. Sí, a tavola nutriamo tutti i nostri sensi.

Tra le esperienze culinarie che ho sempre amato come le piú straordinarie c'erano i ravioli alle tre carni – il
ripieno doveva avere vitello, coniglio e maiale – al sugo d'arrosto: in quel piatto tutto convergeva verso la
festa condivisa. Si preparavano il giorno prima con la pasta fatta a mano, mentre noi bambini cercavamo di ru-
barne qualcuno crudo, poi li si metteva a riposare almeno una notte in un posto fresco e non troppo umido che
oggi farebbe sorridere: la stanza da letto! In Monferrato erano il sigillo e la garanzia della festa autentica: il

raviolo era mostrato in tavola come «sua maestà», fonte di una gioia che ancora oggi rinnovo con passione e con una cura «religiosa». In un paese di vigne poi, a tavola il vino non mancava mai, ma anche in questo vi era il modo di distinguere il quotidiano dalla festa: nei giorni feriali c'era il fiasco, ma per le grandi occasioni si stappava una bottiglia del vino migliore, tenuto appositamente da parte per gli amici, e faceva la sua comparsa troneggiando come un bene prezioso.

Davvero la cucina e la tavola sono l'epifania dei rapporti e della comunione. Del resto, il cibo è come la sessualità: o è parlato oppure è aggressività, consumismo; o è contemplato e ordinato oppure è animalesco; o è esercizio in cui si tiene conto degli altri oppure è cosificato e svilito; o è trasfigurato in modo estatico oppure è condannato alla monotonia e alla banalità. Il cibo cucinato e condiviso – il pasto – è allora luogo di comunione, di incontro e di amicizia: se infatti mangiare significa conservare e incrementare la vita, preparare da mangiare per un altro significa testimoniargli il nostro desiderio che egli viva e condividere la mensa testimonia la volontà di unire la propria vita a quella del commensale. Sí, perché nella preparazione, nella condivisione e nell'assunzione del cibo si celebra il mistero della vita e chi ne è cosciente sa scorgere nel cibo approntato sulla tavola il culmine di una serie di atti di amore compiuti da parte di chi il cibo lo ha cucinato e offerto come dono all'amico. Far da mangiare per una persona amata, prepararle un pranzo o una cena è il modo piú concreto e semplice per dirgli: «Ti amo, perciò voglio che tu viva e viva bene, nella gioia!» È un miope incapace di stupore chi nel cibo scorge oggi solo il frutto della tecnica che ha sostituito antichi attrezzi da lavoro o della scienza che ha inventato mutazioni genetiche: perché un alimento possa soddisfare la nostra fame bisogna infatti che da esso emergano – al di là di proteine, carboidrati e vitamine – l'intelligenza, la passione e il cuore dell'essere umano che trasfigura le creature in dono per il proprio simile. Anche cosí, grazie allo stupore condiviso attorno a una semplice tavola del Monferrato, ho scoperto che l'appetito dell'uomo è infinito perché non appartiene al corpo ma all'anima, che il cucinare deve sempre corrispondere a un'attesa e che la tavola richiede un atto di fede da parte di chi cucina e da parte di chi mangia.

Pane al pane

Oggi che i nostri pasti abbondano di un superfluo che vorrebbe illuderci di un'imperitura abbondanza, può essere utile soffermarci a contemplare il pane, questo umile cibo «generato» dalla terra attorno al Mediterraneo, alimento cosí quotidiano sulle nostre tavole eppure rispetto al quale siamo invitati a chiederci se sappiamo davvero che cosa mangiamo. Abituati come siamo a consumare cibo in fretta, un po' ovunque, anche in assenza di una tavola, possiamo dire che ingoiamo alimenti come carburanti, ma cosí facendo sostentiamo solo il nostro corpo animale e non l'intero nostro essere. Eppure il pane nella sua quotidianità, nel suo essere sempre presente sulla tavola, dovrebbe ricordarci che mangiandolo noi compiamo un'azione che è molto di piú del semplice nutrirci. Proprio perché si è perso il senso del pane e non si è piú capaci di «capire il pane», oggi questo alimento viene cosí facilmente trascurato e sostituito con tanti prodotti alternativi la cui unica positività consiste in una negatività, quella di non farci ingrassare.

Storicamente, il pane è nato nel III millennio a.C. in Egitto, in prossimità del Mediterraneo, dove nella coltivazione di diversi cereali finisce per eccellere il frumento. E con l'apparizione del pane si afferma la ci-

viltà, la distinzione tra i barbari che mangiavano polti-
glie di cereali selvatici e i popoli civili che conoscevano
la coltivazione del grano e la cottura e vivevano la dimensione della tavola con il pane preparato: è attesta-
to che nel III secolo d.C. i greci conoscessero 72 tipi di
pane diversi... Cotto dagli assiri in otri di terracotta,
dai greci sotto la cenere, dagli ebrei su pietre arroven-
tate, il pane diventa il nutrimento base del corpo e dello spirito, assumendo valenze religiose e caricandosi di
valori simbolici.

Certo, in un buon dizionario possiamo trovare la de-
finizione di pane come «alimento che si ottiene cuocen-
do al fuoco un impasto di farina, solitamente di frumento, e acqua, condito con sale e fatto lievitare», ma il
pane è molto di piú. È simbolo della vita dura («ti gua-
dagnerai il pane con il sudore della fronte»); quando è
abbondante o di «fior di farina» è simbolo della vita e
della festa; e ancora: è simbolo della condivisione, del
frutto del lavoro di molti, della solidarietà, della «compagnia» autentica.

Nella vita contadina il pane sulla tavola richiamava
immediatamente i campi di grano che si alternavano alle vigne: il loro giallo che si stagliava nel cielo sembrava dilatarsi fino a colorare le tele di Van Gogh. E in
mezzo a tanto bagliore, l'occhieggiare di fiordalisi e pa-
paveri – allora al riparo dai diserbanti, cosí efficaci e
spietati verso la bellezza che «non serve» –, memoria
visiva della gratuità, come osservava il teologo Bonhoef-
fer, inno silenzioso all'amicizia che si intreccia all'amore coniugale.

Piú tardi ho percepito nella vita monastica che il pregare sempre prima di mangiare, cosí come il pasto consumato a volte in silenzio, aiuta maggiormente la consapevolezza che noi siamo quello che mangiamo: pregare prima di un pasto, infatti, significa dilazionare la consumazione del cibo che ci sta davanti, assumere una distanza, mettere un freno allo scatenarsi della voracità, non cedere a un approccio consumistico verso gli alimenti per cercare invece di capire il senso di quel nutrirsi. Cosí, ci si può rendere conto, per esempio, del fatto che quando ci si mette a tavola il pane è già lí, precede i commensali e rimane presente durante tutto il pasto e il susseguirsi delle pietanze, e sprigiona tutto il suo potere di attrarre a sé l'attenzione.

Il pane in tavola: un tempo era un vero e proprio rito, soprattutto quando era costituito da un'unica, grande pagnotta per tutti i commensali. Doveva essere posato diritto sulla tovaglia, disposto al centro o accanto a chi presiedeva la tavola, ne andava spezzato o tagliato solo quel tanto che si sarebbe mangiato, poi veniva distribuito, facendo attenzione che non cadesse a terra, senza avanzarne dei pezzi e le stesse briciole venivano raccolte alla fine del pasto e sparse sul davanzale della finestra a nutrire gli uccelli, soprattutto d'inverno, quando la neve toglieva allo scricciolo, al pettirosso, al passero la possibilità di trovare semi.

Il pane, simbolo della natura e insieme della «cultura», dell'agire dell'uomo in armonia con la natura. «L'uomo trae il pane dalla terra» narra con forza evocativa il salmo 104, a ricordare che il pane è lí, ma al contempo solo l'uomo sa «trarlo fuori», sa chiamarlo alla vita. La terra, infatti, deve essere arata, poi sminuz-

zata dall'erpice, poi seminata in attesa della pioggia feconda e della neve che custodisce e protegge il lento e
sicuro germinare: «in inverno, sotto la pioggia fame,
sotto la neve pane» recita un antico proverbio, erigen-
do il pane a nutrimento per eccellenza, unico antidoto
alla fame. Infine, una volta che la terra accompagnata
dal lavoro dell'uomo offre il grano nella spiga, ecco ancora la sapienza dell'uomo che non si accontenta di sgra-
nocchiare dei chicchi magari abbrustoliti, ma si preoc-
cupa della mietitura e della trebbiatura – raccolta e discernimento al tempo stesso –, poi della molitura che
predispone il grano a una nuova armonia con altri elementi della natura: la farina può cosí mescolarsi all'acqua, al sale, al lievito. Pochi, semplicissimi elementi, ma
accostati con grande sapienza e fantasia, con pazienza
e destrezza: quale varietà di forme e di consistenza già
nella pasta, prima che la cottura aggiunga colore, profumo e fragranza e inglobi nel greve impasto la legge-
rezza e il soffio spirituale dell'aria... Sí, il pane cibo rea-
le eppur simbolico, capace di evocare una realtà che va
al di là del nutrimento materiale e di suscitare domande sul senso di ciò che fa vivere.

Nel suo essere frutto della terra e del lavoro dell'uomo, della natura e della cultura, il pane esprime il bisogno, ciò che davvero è necessario per vivere. Non a caso la parola «pane» indica cibo essenziale e non superfluo: quando diciamo che «non c'è pane», evochiamo
fame e carestia, cosí come del fenomeno migratorio non
c'è spiegazione piú tragicamente semplice dell'eviden-
za che sempre gli affamati corrono verso il pane perché
il pane non corre dove c'è la fame. Una corsa, quella cui

assistiamo oggi – dalle sponde meridionali a quelle settentrionali del Mediterraneo – che segue il percorso compiuto proprio dalla cultura del pane quasi cinquemila anni fa. Pane, allora, anche come cifra della nostra capacità di condivisione, della nostra disponibilità o meno a spezzarlo perché tutti ne possano avere, pane che, secondo i racconti evangelici, basta per tutti solo quando è spezzato e condiviso.

E la civiltà del Mediterraneo ha sempre accostato al pane un altro frutto della terra e del lavoro umano: il vino. Anche qui, il gratuito accanto all'essenziale, il dono accanto al necessario, la gioia accanto alla sostanza: il pane fa vivere, il vino dà gusto alla vita; il pane ritempra le forze, il vino rallegra il cuore; il pane fa corpo con il lavoro, il vino ne addolcisce le fatiche. Pane e vino sulla tavola sono lí a ricordarci la grandezza dell'uomo e a interpellare la nostra sensibilità: quanta fatica e quanta speranza sono raccolti in quei due semplici alimenti, quanti volti appaiono dietro di loro! Il contadino e il mugnaio, il fornaio e il vignaiolo, e poi il bottaio e il mercante, le loro famiglie e i loro bambini, le ansie e le speranze di un anno, le grida della vendemmia e i canti della mietitura, il silenzio delle cantine e dei granai, il rumore della mola e il pigiare nei tini... E ora sono lí, raccolti sulla nostra tavola, a narrarci la qualità della nostra umanizzazione, a interpellarci su chi siamo e su come desideriamo che sia il nostro mondo.

Forse anche per questo, come ha giustamente osservato Predrag Matvejević, «la storia della fede e quella del pane hanno spesso strade parallele o contigue o simili». Non a caso nell'ebraismo e nel cristianesimo il pane e il vino sono elementi essenziali della liturgia per eccellenza, il memoriale della Pasqua. Anche se ormai pochi ci fanno caso, ogni volta che le comunità cristiane si riuniscono per celebrare il grande mistero della loro fede lo fanno con il pane e il vino disposti su una mensa che i cristiani chiamano la «tavola del Signore». È cosí che mettono davanti a Dio tutta la creazione, tutto l'universo fisico, sintesi di ciò che vive, e insieme il lavoro dell'uomo, sintesi della fatica, della tecnica, della scienza, della capacità di abitare il mondo. E con spirito di profezia compiono sul pane e sul vino il gesto compiuto da Gesú, promessa di trasfigurazione di questo mondo e delle loro vite nella vita del loro Signore: al cuore della vita spirituale piú intensa, il pane con la sua materialità e il suo significato appare come la realtà, il cibo capace di narrare il piú grande mistero cristiano.

Anche cosí si illumina la capacità del pane di essere simbolo della condivisione: chi mangia il pane con un altro non condivide solo lo sfamarsi, ma inizia con il condividere la fame, il desiderio di mangiare, che è anche il primo impulso dell'essere umano verso la felicità. Noi uomini abbiamo fame, siamo esseri di desiderio e il pane esprime la possibilità di trovare vita e felicità: da bambini mendichiamo il pane, divenuti adulti ce lo guadagniamo con il lavoro quotidiano, vivendo con gli altri siamo chiamati a condividerlo. E in tutto questo impariamo che la nostra fame non è solo di pane ma anche di parole che escono dalla bocca dell'altro: abbiamo bisogno che il pane venga da noi spezzato e offerto a un altro, che un altro ci offra a sua volta il pane, che insieme possiamo consumarlo e gioire, abbiamo soprat-

tutto bisogno che un Altro ci dica che vuole che noi vi-
viamo, che vuole non la nostra morte ma, al contrario,
salvarci dalla morte.

La vite come cultura

In una società in cui «si conosce il prezzo di ogni cosa e il valore di nessuna», anche una fatica e una gioia umana antichissima come quella della vendemmia rischia di essere ridotta a cifre: ettolitri di vino prodotto, gradazione media, bilanci e aspettative dei mercati, prezzi delle bottiglie di annata... Poco o nulla sembra ormai trasparire di quell'attività agricola estremamente concreta e altamente simbolica che è la coltivazione della vite e la trasformazione dell'uva in vino. Eppure i progressi tecnologici poco hanno influito sul cuore di un antico lavoro dell'uomo che resta tra i piú pregnanti nel suo rapporto tra coltura e cultura, tra coltivazione della terra e sapienza di vita: la natura, infatti, ha bisogno della cultura per donare frutti preziosi e buoni per gli uomini.

Sarà perché sono nato e cresciuto in un paese del Monferrato le cui case sparse sulle colline sono tenute insieme dai filari dei vigneti e convogliate verso il cuore dove, l'una accanto all'altra, troneggiano la chiesa parrocchiale e la cantina sociale; sarà perché in mezzo a quelle cangianti schiere di viti e di tralci sono passato mille volte a piedi in ogni stagione dell'anno per andare e tornare da scuola; sarà perché i discorsi degli an-

ziani attorno al focolare d'inverno e i giochi dei ragazzi nelle strade assolate avevano come sfondo immanca-
bile la vigna, le sue fatiche e le sue gioie; sarà per tutto
questo, ma di fatto ogni anno al tornare della stagione
della vendemmia, mi ritrovo a ripensare non solo alle
mie radici, ma al patrimonio di sapienza umana che da
sempre trasuda dai filari di uva e che ha addirittura im-
pregnato centinaia di versetti della Bibbia come della
poesia universale.

La vendemmia, piú ancora che lo spillare il vino nuovo a primavera, è il vero culmine della coltivazione della vite, l'evento che condensa in poche giornate il successo o il fallimento del paziente lavoro di un anno intero. Lí, in quei grappoli dorati di moscato, viola cupo
di barbera, rosso intenso di brachetto, è raccolta tutta
la vita della vigna e tutta la fiduciosa fatica del vignaiolo: la paziente attesa dell'inverno colmata dalle lacrime
di sofferenza della potatura, l'umile chinarsi dei tralci
per lasciare che il sole baci i grappoli, la muta invocazione a scongiurare la grandine, tempesta di pietre che
in un istante può far scorrere sangue nei solchi, il sempre precario equilibrio tra l'acqua che gonfia gli acini e
il sole che dà loro colore, gusto, forza. E non sono solo
le attese di un anno a essere raccolte e caricate sui carri per essere spremute: è il frutto di una pazienza ben
piú antica. La vigna, infatti, a differenza dei cereali e
anche di molte piante da frutto, non è una coltivazione
immediatamente produttiva: piantare una vigna è come fare un matrimonio con la terra, è gesto di grande
speranza, che non a caso la Bibbia pone come il primo
gesto compiuto da Noè dopo il diluvio. Significa stipu-

lare un'alleanza con un pezzo di terra, affermare che lí, in quel posto preciso, si vuole dimorare, che ci si prende il tempo di attendere lí e non altrove i frutti del proprio lavoro: coltura e cultura «radicalmente» diversa da quella nomadica è quella della vigna, una sorta di patto nuziale tra l'uomo e la natura senza il quale non può nascere la «civiltà».

Certo, molte cose sono cambiate in questi ultimi decenni: reti e cannoni antigrandine hanno soppiantato l'aspersorio e le giaculatorie del parroco, senza tuttavia incrementare molto l'efficacia; i trattori hanno preso il posto dei buoi davanti alle bigonce; vasche, ingranaggi e condotte d'acciaio hanno rimpiazzato il tino per la pigiatura a piedi nudi; braccianti venuti dall'oriente d'Europa e dal mezzogiorno del mondo si chinano tra i filari, cosí come altri di loro in città si chinano prendendosi cura dei nostri anziani e dei nostri bambini... Ma tutto questo non ha fatto scomparire l'ansia festosa di chi si affretta a raccogliere, alzando ancora una volta lo sguardo al cielo a scrutare che una pioggia inclemente non annacqui proprio all'ultimo mesi di fatiche; non ha cancellato il colore e il gusto inebriante della gioia che scorre tra filari e strade nei giorni di vendemmia; ha solo mischiato suoni nuovi ai canti e alle grida che si rincorrono da un pendio all'altro delle colline. Cosí il brulicante intrecciarsi del lavoro di tutta la famiglia su un pezzo di terra ereditata dai padri si incontra oggi con il sodo impegno di chi lavora pensando a una terra e a una famiglia lontana: ciascuno impegnato a dare ciò che può per ottenere ciò che tutti attendono. E il riposo serale attorno a un pasto frugale e a un bicchiere di vino accomuna nella serena tranquillità chi assapora il gusto del frutto del proprio lavoro.

Sí, il vino: è lui, non l'uva, il vero «frutto» della vigna. E come la vigna è ricco di doni concreti e, al contempo, denso di rimandi simbolici. Da sempre, «dai tempi di Noè» appunto, accanto al pane del bisogno, al pane che sfama, al pane quotidiano necessario per vivere, l'uomo ha avuto il vino della gratuità e della festa: una bevanda non necessaria alla sopravvivenza, ma preziosa per la consolazione, la gioia condivisa, l'amicizia ritrovata... Il vino: bevanda che, bevuta in solitudine, ne stordisce l'amarezza solo per accentuarne la tristezza, ma anche bevanda che, gustata nell'intimità di un'amicizia, ne esalta il sapore e ne affina il piacere. Bevanda esigente, anche, perché richiede a chi la beve lo sforzo di liberarsi dalla schiavitú dell'efficienza esasperata per abbandonarsi alla gratuità senza la quale la vita è priva di sapore; bevanda che invita a cantare la vita, a immettere nella consapevolezza della morte la volontà di dire di sí alla vita.

Forse è per tutti questi aspetti – oltre che per il discernimento che richiede nel conoscere se stessi, i propri limiti e quelli degli altri –, è per questa lettura dell'esistenza nel segno della gratuità e della gioia condivisa che il vino è divenuto nella Bibbia e in altre tradizioni spirituali il simbolo della sapienza. Sapienza perché dà «sapore» alla vita, ma anche perché il vino sa sciogliere il cuore e farne emergere ciò che davvero lo abita, sa trasformare la semplice assunzione di cibo in un banchetto, cosí come la fermentazione ha trasfigurato l'umile succo d'uva in bevanda inebriante. E accanto alla sapienza, altri due elementi indispensabili alla vita piena dell'uomo sono simboleggiati dal vino: l'amore e l'amicizia. Non a caso l'intera vicenda amorosa narrata nel *Cantico dei cantici* si snoda sul registro delle vigne, dei grappoli d'uva, del vino, fino a consumarsi nella «cella vinaria»; non a caso il Siracide ricorda che «l'amico nuovo è come il vino nuovo: bevilo quando sarà invecchiato»; non a caso nel banchetto promesso per la fine dei tempi ci saranno cibi succulenti e vini eccellenti; non a caso Gesú stesso porrà il suo primo «segno» alle nozze di Cana sotto il sigillo di una gioia condivisa grazie al vino migliore e lascerà ai suoi discepoli il comandamento nuovo dell'amore attorno al «segno» di un pane spezzato e di una coppa di vino versato perché tutti abbiano la vita in pienezza.

Sí, la sapienza, l'amicizia, l'amore, questi doni che non hanno prezzo ma di cui conosciamo il valore inestimabile, sono simboleggiati da una bevanda che proprio la sapienza dell'uomo e il suo amore per la terra hanno saputo scoprire tra i doni postigli innanzi da una natura che non attendeva altro che di essere trasformata in cultura di vita e per la vita.

Nel vino l'amore per la vita

Da ragazzo, all'età delle medie e delle superiori, ogni
giorno per andare a scuola, all'andata come al ritorno,
dovevo camminare mezz'ora tra le vigne, unica visione
per i miei occhi sotto il cielo, unico scenario per i miei
pensieri e le mie apprensioni scolastiche. Cosí ho imparato a conoscerle, a osservare i loro cambiamenti, ad
amarle. La mia terra è tutta vigne, solo qua e là, ai bordi delle strade, un canneto che forniva i sostegni per le
viti in quegli ordinati filari che segnavano i diversi an-
fiteatri collinari e sembravano sfidare la pendenza dei
bricchi: filari disposti come oggetti preziosi in un'espo-
sizione, ciascuno scostato dall'altro quel tanto necessario per essere visto e baciato dal sole.

D'inverno le vigne appaiono desolate, solo ceppi che
con le loro torsioni sembrano ribellarsi all'ordine se-
vero dei filari: le diresti morte, soprattutto quando lo
scuro del vitigno si staglia sul bianco della neve, asse-
condando quel silenzio muto dell'inverno in cui persino il sole fatica a imporsi tra le nebbie del mattino. Eppure, anche in questa stagione morta, i contadini non
cessano di visitare la vigna e si dedicano a quel lavoro
sapiente di potatura che richiede un affinato discernimento. Si tratta, infatti, di mondarla, tagliando alcuni
tralci e lasciando quelli che promettono maggiore fecon-

dità: sacrificarne alcuni, che magari tanto hanno già dato, per il bene della pianta intera, rinunciare a un tutto ipotetico per avere il meglio possibile. Bisogna osservarli i vignaioli quando potano, mentre il freddo arrossa il naso e le guance; bisogna vedere come prendono in mano il tralcio, come i loro occhi scrutano e contano le gemme, come con le pinze danno un colpo secco che recide il tralcio con un suono che echeggia in tutta la vigna: un taglio che sembra un colpo di grazia spietato al culmine di una sentenza e che invece è colpo di grazia perché apre un futuro fecondo. E lí, dove la ferita vitale ha colpito la vigna, proprio lí, ai primi tepori, la vite «piange», versando lacrime da quel tralcio potato per un bene piú grande. Curare la vigna è come curare la vita, la propria vita, attraverso potature e anche pianti, in attesa della stagione della pienezza: per questo la potatura è un'operazione che il contadino fa quasi parlando alla vite, come se le chiedesse di capire quel gesto che capire ancora non può.

Ma poi ecco la bella stagione, un'esplosione di vegetazione che muta il colore alle colline: i grigi e gli ocra delle terre si ammantano di verdi e verso sera, sotto lo sguardo amico della luna, si accendono i falò ai bordi delle vigne e si bruciano i tralci potati e seccati. Con la fioritura sboccia anche un nuovo ritmo, la pulsione della vita accelera, la terra cotta dal sole pompa linfa in ogni tralcio, gli acini si gonfiano e anche il vignaiolo fa la sua parte: passa tra i filari, constata i risultati effettivi della potatura, come se leggesse le istruzioni per il prossimo anno, e ancora una volta contiene, limita, «abbassa» le viti per permettere al sole di colpire al meglio i grappoli. Cosí, agli inizi di agosto, attorno a San Lorenzo, gli acini si tingono di un nero ingioiellato di riflessi bluastri.

L'estate scorre veloce e quando le giornate iniziano a rimpicciolirsi e le frescure serali a farsi sentire, ecco il tempo della vendemmia, della raccolta del frutto di tanto lavoro e soprattutto di tanta attesa, ecco il tempo di «fare il vino». Sí, con la vendemmia finisce veramente l'anno per i contadini, perché tutto nel ciclo dei viticoltori tende verso quest'«ora», l'ora per eccellenza in cui valutare se l'annata è andata bene o male, se essere contenti o frustrati del proprio mestiere. Anche per questo è sempre difficile decidere quando scocca esattamente quest'ora, quando mettere mano alla vendemmia e da quali vigne iniziare. Normalmente si parte dalle vigne di uva bianca, le piú assolate, ma nulla è scontato e sembra che il contadino debba ogni anno decidere tutto come fosse la prima volta. Perciò si aggira tra i filari anche piú volte al giorno, osserva i grappoli, li alza delicatamente con la mano, li palpa, ne assaggia qualche acino; poi scruta il cielo, valuta il tempo, perché la pioggia con la vendemmia in corso è sempre una minaccia che può trasformarsi in autentica disgrazia per la qualità del raccolto e l'esito finale di tanta fatica.

Ma quando, dopo aver tutto soppesato, il tempo è compiuto e la decisione è presa, ecco che tutta la famiglia, i parenti, a volte anche gli amici che non possiedono vigne loro, sono convocati per vivere la vendemmia, che è rito prima ancora che lavoro: vera celebrazione sui pendii delle colline, celebrazione alimentata da canti che coprono il suono ossessivo della pinza che con maestria taglia i grappoli. Sí, un tempo si era davvero tutti nelle vigne, e anche i bambini facevano la loro parte con estrema naturalezza, imparando come per gioco quello che sarebbe diventato un mestiere per la vita. E carri trainati dai buoi, con le bigonce cariche d'uva, si incrociavano per le strade che conducevano alle varie cascine o verso la cantina sociale.

A volte scarsa, a volte abbondante, fatta con il nuvolo oppure assolata, la vendemmia poneva fine alle attese, alle ansie, ai timori. Il silenzio della «brutta stagione» che fa stare in casa invadeva il giorno e sembrava vincerlo, un silenzio abitato non da parole, ma da un odore intenso, quello del mosto e delle vinacce che saliva dalle cantine e si diffondeva per tutta la valle, inondandola di profumo: era il profumo del vino in gestazione che cantava nel silenzio.

Le vigne, da parte loro, spogliate dei grappoli maturi, non rinunciavano per questo a narrare l'amore per la terra e per l'uomo che le aveva sapientemente accudite; cosí si vestivano a festa, riprendendosi i colori che la tavolozza di un pittore impressionista aveva preso a prestito da loro: le foglie giallo paglierino del moscato, quelle rosso paonazzo del brachetto, le viola del dolcetto, quelle verde antico del barbera... Inutile cercare di descrivere una vigna a fine ottobre, cosí cangiante al sole o all'ombra, mutevole tra le nebbioline autunnali e le nubi incombenti: certo, in autunno le foglie sono piú belle dei fiori.

Guardare le vigne significa provare gioia e malinconia insieme, una malinconia che un tempo era accresciuta perché quelli erano anche i giorni delle migrazioni, dei mezzadri che lasciavano la cascina e la vigna lavorata in affitto per altre terre e altre viti. «Fanno San Martino», ci dicevano, e noi bambini salutavamo commossi i nostri compagni di scuola, senza capire perché mai quel santo chiedesse agli uni di partire e agli altri di restare. Erano quelli, e lo sono ancora, i giorni in cui il cielo si spoglia delle ali di tanti uccelli che avevano rallegrato l'estate: anche tra loro, alcuni partono e altri restano, ciascuno alla ricerca di una vita possibile per sé e per i propri piccoli. Giorni di malinconia, attenuati da qualche ora di tiepido sole prima di giungere alle soglie dell'inverno: non a caso la si chiamava la «stagione dei morti».

Intanto però il vino è fatto e se ne sta quieto nelle botti, avendo calmato i suoi bollori. Finito il tempo del lavoro nella vigna, è il vino ora a lavorare silenzioso in cantina: si affina in modo misterioso, costruisce il suo carattere e, come la vigna da cui proviene, chiede a sua volta attesa, pazienza a chi lo ha fatto e curato...

Nel grande codice della nostra cultura, la Bibbia, si narra il mito di Noè che per primo piantò e coltivò una vigna. Sopravvissuto al diluvio universale che aveva accomunato umanità e natura nella devastazione, Noè per prima cosa pone un gesto di grande speranza, contrae un matrimonio con la terra: già il piantare un albero, infatti, è compiere un gesto di grande speranza, ma piantare una vigna lo è ancor di piú perché occorrono anni e anni per goderne il frutto, occorre decidere di fare alleanza con quella terra, di fermarsi là, di lavorarla a lungo in pura perdita. Possiamo immaginarci lo stupore di Noè quando ha finalmente tra le mani quei grappoli a

lungo attesi, lo possiamo quasi vedere affascinato e sedotto da un fatto misterioso: avendo spremuto quei
grappoli vendemmiati per berne il succo, si accorge che
questo fermenta, diventa mosto, ribolle, si solleva, come il ventre di una donna incinta, come l'impasto di acqua e farina di cereali. Noè beve quel succo in cui scorge una vitalità inattesa, ne prova allegria, si sente consolato per tutta la tristezza provata durante il diluvio:
ne aveva viste tante e troppe. Possiamo forse accusarlo
per aver bevuto ancora, per aver cercato oblio e consolazione nel frutto del lavoro delle proprie mani? Possiamo rimproverarlo per l'ebbrezza di chi non conosceva
la misura? Ma senza misura erano state le disgrazie at-
traversate, senza misura l'ansia per un futuro senza vita.

Non solo vino

Per una cultura contadina come quella del Monferrato, in cui le colline sono interamente rivestite di filari di uva disposti in modo che ciascuno mostri il meglio di sé davanti al sole che lo bacia, la stagione della vendemmia è non solo il coronamento di un'annata di lavoro, ma il simbolo dell'intimo rapporto tra l'uomo e la terra che abita: quella terra precisa, quel pendio particolare, quell'avvallamento unico in cui le generazioni che hanno preceduto il vignaiolo hanno deciso che lí andava stipulata un'alleanza di vita per la vita, lí e non altrove bisognava porre le radici affinché i tralci potessero crescere e prosperare.

In simile contesto, che è stato a lungo anche il mio, la vendemmia è lo spazio e il tempo, il luogo e il momento in cui questa alleanza viene rinnovata. Il vino nuovo è solo promesso per la primavera che segnerà un nuovo inizio, ma l'uva raccolta e pigiata è lí a testimoniare il «già e non ancora» di tanta passione, la caparra della ricompensa di un'obbedienza reciproca: obbedienza del contadino alla sua terra e obbedienza della vigna al suo vignaiolo. Non sorprende allora che, accanto e oltre al vino, la sapienza contadina abbia sempre saputo trarre da quell'unica coltura una quantità svariata di frutti. Penso innanzitutto alla «mostarda», il cui nome deriva dal mosto e non, come in altre regioni italiane o all'estero, dalla «moutarde», cioè la senape. La mostarda monferrina – che per tanti anni ho visto fare proprio nei giorni immediatamente successivi alla vendemmia e che ancora oggi preparo con la stessa cura e la stessa passione trasmessami dalla generazione che mi ha preceduto – non è una marmellata, non è una confettura, non è una salsa: è l'amalgama tra i frutti della terra e il lavoro sapiente dell'uomo, è la sintesi di coltura e cultura che il calore del fuoco esalta per la delizia del palato e la gioia degli occhi.

In un bacile di mosto di barbera ricco di *berti* – le bucce degli acini spremuti – le donne di casa mettevano a macerare la frutta che la stagione al suo declino sapeva dare ancora in abbondanza: mele, pere, fichi, prugne, pesche, cotogne, more, mirtilli... Era la frutta che aveva accompagnato da vicino, in mezzo ai filari o nei boschi e nei cespugli dei dintorni, la crescita e la maturazione dell'uva e che ora si univa al succo in fermento per una fine degna di quell'amicizia durata tutto l'anno. Per tutta la notte la ribollente ricchezza del mosto impregnava ogni fibra di quei frutti, cedendogli il colore rubino e ricevendo in cambio aromi zuccherini.

All'indomani, fin dal mattino presto fervevano i preparativi: noi bambini eravamo confinati in un angolo del cortile a sgusciare noci e nocciole, e cercavamo invano di sottrarne furtivamente qualcuna all'occhio vigile degli adulti per nulla distratti dalle loro incombenze. Poco lontano si preparava la legna e il sostegno su cui collocare la pentola per la cottura: dovendo questa protrarsi per l'intera giornata, non si poteva infatti usufruire dell'abituale focolare del camino se non al prezzo di rinunciare a cucinare altri cibi per quel giorno. Acceso il fuoco e riversato nella pentola il mosto rallegrato dalla frutta, subito iniziava a spandersi nell'aria un profumo inebriante: esaltati dalla fermentazione e dal calore, gli aromi della frutta stemperavano e addolcivano il pungente odore del mosto e ne facevano pregustare il sapore. Per ore e ore si doveva vigilare a che il fuoco fosse abbastanza alto da continuare a far bollire la mostarda senza tuttavia farla attaccare al fondo della pentola: un sapiente alternarsi di legna aggiunta e di braci smosse, un rimestare delicatamente di tanto in tanto quel magico amalgama facendo esplodere vampate di profumo e, se si era troppo imprudenti, anche schizzi bollenti di *cugnò* (cotognata era infatti l'altro nome della mostarda, quello che sottolineava la presenza delle cotogne a fare da umile legante all'insieme della frutta). A cottura quasi ultimata, si gettavano nella pentola le noci e le nocciole, magari dopo aver tostato queste ultime, assieme a qualche scorza di limone. Dopodiché si passava al «rito» dell'invasamento nelle *amburnie*, nei vasi ermetici di vetro di cui si era verificata prima l'accurata pulizia, la tenuta della guarnizione di gomma, il funzionamento del meccanismo di chiusura in alluminio. Un'operazione che andava fatta con la mostarda ancora bollente, per aiutare la formazione del sottovuoto che avrebbe garantito una miglior tenuta del vaso: comunque, nel dubbio, un velo di grappa sulla superficie era il tocco finale che aumentava la sicurezza della conservazione.

Terminate le operazioni, ai bambini spettava di di-

ritto una prima pulizia della pentola e degli attrezzi usa-
ti: c'era davvero di che leccarsi le dita... La mostarda
era poi custodita con cura e usata come segno di festa:
sul pane abbrustolito, a guarnizione di superbe crosta-
te, sulla polenta fritta, con i formaggi stagionati, persino sulla neve fresca, era il tocco di bontà che sapeva no-
bilitare ogni cibo che veniva a contatto con lei. Né agra,
né dolce, né piccante, né salata, non per questo la mostarda era «neutra», tutt'altro: un gusto inconfondibi-
le di vino e di frutta sembrava comunicare il meglio che
usciva dalle piante coltivate dall'uomo, era come il segno tangibile della gratitudine della natura verso chi
aveva saputo capirla e interpretarla cosí bene.

Accanto alla mostarda, ho già accennato alla grappa
o *branda*: distillati familiari delle vinacce e del vino in
sovrappiú. C'era sí chi ne abusava – come del vino, del
resto –, ma nessuno rinunciava per questo a produrla
e ogni famiglia ne teneva comunque alcune bottiglie
per gli scopi piú disparati: contro raffreddori e influenze, per stemperare il freddo delle lunghe serate invernali, per lenire gli effetti di qualche eccesso gastrono-
mico... Quella piú rozza era usata anche per disinfetta-
re ferite accidentali, mentre la piú raffinata, distillata
dalle uve del brachetto e depurata da «testa» e «coda»
troppo violente, era custodita con parsimonia e appariva come festosa accoglienza all'arrivo di qualche amico. Oggi crediamo di sapere che alcune di queste prati-
che possono essere controproducenti o addirittura sa-
nitariamente scorrette, ma non dobbiamo dimenticare
che un tempo era l'insieme delle usanze che ne favori-
va un uso appropriato. Era tutta una cultura che sape-

va creare, custodire e mescolare antidoti e correttivi con mezzi e strumenti alla portata di tutti: l'alimentazione e lo stile di vita finivano per essere molto piú equilibrati, pur nella scarsità o poca varietà di cibo, che non gli odierni punteggi di calorie o le paradossali combinazioni di integratori alimentari. Sí, c'era una sapienza dei sapori, una conoscenza di limiti e virtú di se stessi e di quanto si mangiava e beveva, che garantiva un'autentica qualità della vita.

Ma vi era anche un altro «effetto collaterale» della vendemmia, che ha una storia antichissima: l'«uvaggio». Pratica già nota nell'Antico Testamento con riferimento a ogni tipo di raccolto, consisteva nel lasciar volutamente sulla pianta o nei campi alcuni frutti: i poveri, privi di terreni di loro proprietà e rimasti senza lavoro stagionale nei campi altrui, avrebbero potuto racimolare quanto restava e trovare cosí di che placare la loro fame. Nelle nostre vigne si era soliti lasciare sui tralci i grappoli non pienamente maturi al momento della vendemmia. Questa infatti avveniva solo quando un complesso insieme di condizioni atmosferiche e di livelli maturativi faceva ritenere giunto l'attimo fuggente per ottenere il miglior risultato possibile senza rischiare di perdere tutto per aver voluto troppo. Ovviamente, non tutti i grappoli erano pronti all'appuntamento: i ritardatari venivano tralasciati e raccolti solo in autunno inoltrato. In quel momento, piú nessuna distinzione poteva essere fatta tra uve barbera e moscati, tra dolcetti e freisa: tutto finiva in un unico calderone, l'uvaggio appunto. Da lí si riusciva ancora a ottenere un vinello simpatico di bassa gradazione, che andava pertanto consumato al piú presto. Era il «millespilli», chiamato cosí per quel suo pungere il palato e stuzzicarlo: dissetante e gradevole, veniva concesso con misura anche ai bambini, che solo dopo averlo bevuto si rendevano conto che era pur sempre vino e non gassosa. Ora la pratica di lasciare indietro qualche grappolo è scomparsa, cosí come la bevanda che nasceva da quella cura: da un lato le tecniche di vinificazione suppliscono alla non piena maturazione di tutto ciò che finisce nella bigoncia, dall'altro non siamo piú abituati a tener conto anche dei poveri quando facciamo i nostri raccolti, di qualsiasi frutto si tratti, e non solo in agricoltura.

Sí, il criterio dell'efficacia, della produttività e del profitto sembra aver preso il sopravvento anche in mezzo ai filari e nelle cantine, ma fortunatamente ogni tanto un soffio di gratuità ci riporta il gusto e il sapore di una sapienza contadina che sapeva essere creativa e generosa per fare anche della propria ristrettezza un'occasione di festosa condivisione, perché da sempre i poveri sono quelli che sanno donare con gioia.

Il rito della *bogna càuda*

Con la vendemmia ci si avvia all'autunno, la stagione in cui tra le colline del Monferrato accese di colori e spoglie di grappoli si attarda un'insistente nebbiolina e dalle vigne si anticipa il rientro a casa, perché «ormai fa fresco». Che fosse per scaldarsi un po' alla sera, o per arginare la malinconia che si impadronisce delle giornate piú corte, o magari per riabituarsi a starsene in casa in vista della stagione fredda, sta di fatto che era questa la stagione in cui, con amicizia rinnovata, noi giovani ci ritrovavamo in compagnia a mangiare un piatto tipico della tradizione contadina: la *bogna càuda*. Per noi era anche il modo piú semplice per divertirci insieme: la pista da ballo c'era solo una volta all'anno – si montava per la festa del paese e si smontava subito dopo –, il cinema una volta alla settimana, giocare a carte al bar sembrava affare da anziani, la televisione era sconosciuta. Cosí, per stare insieme in allegria, «contarcela» ridendo e scherzando, in autunno e inverno niente di meglio di una buona *bogna càuda*: una cena che era uno sbocco naturale delle nostre relazioni, una serata in cui chi a turno invitava gli amici a casa propria dava il meglio di sé, assieme al miglior vino che teneva in cantina.

Ma, molto di piú di una tavolata tra amici, la *bogna càuda* era un'autentica celebrazione culinaria del territorio, dei suoi prodotti, del desiderio condiviso, della convivialità: era, oserei dire, un'opera d'arte. In alcune case, sotto la tettoia della corte, c'era addirittura una tavola rotonda di pietra, con un buco al centro dove poter mettere la brace e depositarvi sopra la pentola di terracotta con quell'intingolo caldo, che non è propriamente né sugo né salsa, in cui tutti i commensali intingevano le verdure.

Un'opera d'arte culinaria che, per essere gustata veramente, va conosciuta nei suoi semplicissimi ma straordinari ingredienti. Le acciughe, innanzitutto. Certo, solo Nico Orengo riesce a narrare degnamente *il salto dell'acciuga*, quel magico viaggio dalla riviera della Liguria alle colline del Monferrato. Lí questi nastri argentati arrivavano con la bicicletta dell'acciugaio: due cestini di vimini collocati uno sulla ruota davanti e l'altro su quella posteriore e, nei cestini, i secchielli in legno coperti da una pietra nera di lavagna, anch'essa frutto del mare. Pescate nel mar Ligure, le migliori erano considerate quelle del golfo del Tigullio, di Monterosso in particolare. Con il suo carico prezioso stipato sotto sale, al grido «Donne! Acciughe belleeee...» l'acciugaio attraversava il paese e le donne uscivano di casa, lo salutavano e si avvicinavano per comperarne qualche etto. A parte la gente di mare, credo che solo in Monferrato e nelle Langhe vi sia chi sappia davvero apprezzare e valorizzare le acciughe: nelle case non mancavano mai e con il loro «bagnetto» (la salsa per impreziosirle) verde o rosso, oppure sott'olio o ancora con un po' di burro, sovente erano l'unica portata di una cena: cibo povero ma capace di allietare una scarsità altrimenti ben triste. Quelle acciughe che i liguri chiamano «u pan du mar», il pane del mare, a volte erano belle grosse, e allora si diceva «sono carne», altre volte erano piccole e magre e giustificavano l'attributo di «pesce dei poveri», tipico di un pasto di miseria: «siamo ridotti a mangiare pane e acciughe».

L'altro ingrediente per la *bogna càuda* è l'aglio, che arrivava nelle cucine senza dover «fare il salto» degli Appennini: lo coltivavamo in Monferrato e ne eravamo molto fieri. L'aglio era innanzitutto un medicinale: fin da bambini imparavamo a conoscerlo perché le mamme lo mettevano in un sacchetto legato alla camicia da notte contro «i vermi»; gli adulti lo apprezzavano perché quando c'era poco o nulla da mangiare in casa, bastava una fetta di pane e lo straordinario sfregolio di qualche spicchio d'aglio trasformava questa abbinata nella «soma», una leccornia che non va assolutamente confusa con le odierne bruschette; i vecchi, con la loro autorevolezza, sanzionavano che l'aglio è medicina contro tutte le malattie, un «disinfettante» – gli antibiotici non erano ancora entrati nelle case, né nel vocabolario – capace di guarire raffreddori e influenze. Sí, è vero che l'aglio poteva creare quelli che oggi chiameremmo «disagi sociali» a causa dell'odore che emanava chi lo aveva ingerito e digerito: ma allora non si prestava molta attenzione a questi particolari. L'aglio comunque era l'elemento piú presente in cucina: sapientemente raccolto in trecce che erano autentici capolavori di tessitura, veniva appeso presso il camino e da lí se ne staccava una testa, la si tritava o sminuzzava e ogni piatto acquistava profumo e sapore di cibo prelibato.

E, infine, l'olio. Anche questo veniva dalla Liguria ed era scambiato con il nostro vino: cinque litri di vino per un litro d'olio. Era un bene molto prezioso: si stava attentissimi a centellinarlo, senza mai abbondare. Come avveniva un tempo per molte cose, per affermarne il valore si diceva che versarlo a terra portava disgrazia, e noi bambini imparavamo subito a non sprecare olio e sale. Il non poterli produrre in loco – come invece il vino e il burro – e la conseguente difficoltà di approvvigionamento le rendevano merci stimate ben al di là del loro effettivo valore venale: allora, di qualcosa che era raro, difficile da acquistare, si diceva ancora che «non aveva prezzo».

Se questi sono gli elementi della *bogna càuda*, la preparazione tende a esaltarne le qualità: si trita l'aglio con la mezzaluna, intanto si fanno sciogliere lentamente le acciughe nell'olio caldo, poi si aggiunge l'aglio e lo si fa cuocere. Ma il fuoco deve sempre restare basso, altrimenti l'aglio si bruciacchia. Chi fa la *bogna càuda* non la cuoce, ma la forgia con il fuoco e il suo cucchiaio di legno: da sapiente alchimista estrae piacere per gli altri da elementi cosí semplici. Guarda, contempla, odora, «sente» attraverso il cucchiaio di legno, raramente assaggia fino a che giunge il momento decisivo: l'intingolo di un bel colore nocciola arriva in tavola, il *dianèt* – pentola di terracotta che evoca Diana, la dea della caccia – è posto sulla brace e finalmente tutti i commensali possono stendere la mano per intingere in quella salsa cosí semplice e preziosa. E se la reazione dei commensali è un sincero, elementare «buona, questa *bògna cauda*», allora il miracolo si è ripetuto.

La verdura principe da intingere restano i peperoni, che da fine agosto sono un altro orgoglio del basso Piemonte, ma poi anche le foglie delle prime verze, i «tapinabur», squisite patate dolci, e per chi li aveva, i preziosissimi cardi gobbi di Nizza. Un pasto preso da un unico piatto comune a tutti, segno della condivisione e della festa: si stava gli uni di fronte agli altri, parlando in amicizia e ritmando i bocconi con qualche sorso di buon vino forte.

Quando ancora oggi mangio la *bogna càuda*, non posso fare a meno di pensare al pesce pescato in mare, quelle lucenti argentee acciughe prese nelle reti e portate a terra, dove le donne le preparano, mozzando loro la testa e svuotandole delle interiora, per poi disporle ordinatamente sotto sale, con cura e delicatezza. Poi la lenta maturazione nelle botticelle o nei vasi di vetro, con il sale che un tempo veniva dalla Sardegna, rossastro, impuro, ma cosí ricco di sapori... Penso all'olio dei pendii liguri: le olive che allora erano raccolte a mano e molate per estrarne un olio verde straordinario per il profumo, torbido di spessore, delicato e intenso nel gusto. Penso all'aglio, seminato prima dell'inverno nei rari spazi piani in mezzo alle colline dove regnano le vigne, silenzioso nel suo crescere anche sotto la neve, ma poi pronto per essere raccolto e intrecciato da mani sapienti a giugno e luglio. È tutto uno scambio di terre, di genti, di culture che concorre ad allestire una tavola offerta ad amici e compagni: alimenti poveri, diremmo oggi, ma ricchi di umanità e capaci di creare una vera e propria celebrazione.

La convivialità si prolungava nella sera, bevendo e raccontando: sí, allora prevaleva il racconto. Non si ragionava di politica, né si disquisiva della vita sociale: per questi argomenti c'erano il bar e il crocchio davanti alla chiesa prima della messa «grande» della domenica. Si raccontava, semplicemente, perché ognuno aveva qualcosa da raccontare, nessuna vicenda della vita era insignificante per gli altri. C'era anche chi sapeva inventare e creare vicende impossibili, chi aveva la capacità di trasfigurare la realtà o di caricaturarla, chi sapeva tratteggiare con una sola parola pregi e difetti di ciascuno, chi condiva le sue parole con una sapienza che pareva d'altri tempi e d'altri luoghi. Si raccontava e, nel raccontare, le nostre vite trovavano uno spazio piú largo, un respiro piú ampio, meno asfittico: davvero ci si divertiva insieme, senza artifizi né strumenti, semplicemente stando insieme.

Nessuna poesia, non era una vita bella o migliore della nostra oggi, anzi: quanta violenza si celava in quell'ordine bucolico e contadino, quanta grettezza, anche. Eppure la *bogna càuda*, il suo rito, oggi mi manca: certo, a volte la preparo ancora e la mangio con qualche amico, ma è un piatto che non si può gustare davvero fuori dalla terra del Monferrato, fuori da quel mondo che l'ha pensata e creata. Può essere un tentativo di dare gioia e di stupire gli altri, ma non ritrova piú la sua dimensione di celebrazione della terra, del lavoro e della sapienza delle generazioni che ci hanno preceduto.

Prender messa

Nell'anamnesi del «tempo di un tempo» intrapreso
in queste pagine non può mancare una rilettura sulla vita cristiana come era vissuta fino agli anni sessanta nei
paesi del Monferrato e delle Langhe. Inoltre, la recente liberalizzazione dell'antica messa – detta di san Pio V
– da parte di Benedetto XVI mi ha riportato piú volte
al mio vissuto nell'infanzia, nell'adolescenza e nella giovinezza, dato che la riforma liturgica del Vaticano II è
stata attuata quando ormai avevo quasi trent'anni. Tutta la mia formazione cristiana, spirituale e teologica era
avvenuta prima del concilio e questo evento dello Spirito ha accompagnato i mutamenti non solo della vita
ecclesiale, ma anche della mia vita interiore piú profon-
da. Ripeto sovente ai piú giovani che io a vent'anni ero
un cattolico post-tridentino «doc» nella fede, nella morale, nell'impegno, che allora non si diceva «ecclesiale»
bensí di «apostolato». Del resto, abitavo di fronte alla
chiesa e quindi il parroco mi chiamava regolarmente
quando c'era bisogno per le messe, i vespri, i funerali,
le «cerimonie» per benedire i temporali e scongiurare
la grandine... insomma, per ogni cosa che richiedeva il
suo intervento. A sette anni mi fu insegnato il latino e
questo mi permetteva di recitare sovente il breviario

con il parroco o con i preti che venivano a predicare alla domenica: i frati passionisti – che arrivavano in bicicletta dal santuario delle Rocche e dei quali si raccontavano le eroiche penitenze e le flagellazioni nel giorno del venerdí – e i giuseppini di Asti.

A quei tempi si può dire che nei paesi di campagna tutta la vita era innanzitutto vita di una comunità cattolica, nel senso che tutti andavano in chiesa e dicevano convinti di credere in Dio, salvo qualcuno che si diceva «comunista» ma che la gente preferiva chiamare «strano»: non sorprende quindi che la figura centrale fosse quella del parroco. Era lui l'autorità piú ascoltata e rispettata del paese. La gente andava da lui per chiedere consigli sulle questioni decisive, soprattutto di morale, ma anche per un parere in merito al matrimonio, in particolare se la futura sposa non era del luogo. Il parroco era dunque il riferimento di tutti, e anche i pochi che gli erano avversi lo rispettavano, pur tenendosene a distanza. Le tensioni, le polemiche dure e a volte anche le lotte avvenivano per esempio quando qualcuno voleva trasformare il «ballo a palchetto», montato per pochi giorni in occasione della festa patronale, in una pista da ballo permanente. Sí, perché allora il ballo era considerato un luogo di perdizione: chi andava a ballare doveva poi confessarsi e comunque il parroco dal pulpito, con voce a volte minacciosa a volte implorante, non mancava di fustigare i nuovi comportamenti che iniziavano a prendere piede nel dopoguerra, accusandoli di portare alla distruzione della morale, delle famiglie e della fede cristiana.

Cosí, se il prete tuonava contro qualche peccato pubblico, il biasimo del paese contro i peccatori era assolutamente univoco. Del resto il parroco sapeva minacciare come i profeti biblici: carestie, grandine, siccità erano tutti frutti del comportamento peccaminoso di chi non andava a messa la domenica o di chi peccava soprattutto nell'esercizio della sessualità. Sí, perché la fede era forte e convinta, ma la coerenza era rara, allora come oggi. Non dimenticherò mai il fatto accaduto in un paese vicino al mio: il parroco tuonò furioso contro due fratelli che da Torino tornavano al paese di domenica e osavano lavorare in quel giorno di festa per costruirsi una casa; questi, seccati per la reprimenda, lo picchiarono fino a mandarlo in ospedale, e il vescovo allora diede l'interdetto sull'intero paese. Per settimane nessun sacramento poté essere celebrato in loco e i fedeli dovevano recarsi nei paesi limitrofi per la messa. Parroci potenti che chiudevano e aprivano il cielo come Elia, maledivano gli animali nocivi alla campagna, benedicevano stalle e bachi da seta; preti apocalittici che minacciavano l'inferno ed erano capaci di far sentire l'odore di zolfo agli ascoltatori; parroci che erano temuti ma anche rispettati perché dedicavano tutta la loro vita e spendevano tutte le loro forze per le «anime», si diceva, loro affidate. Quando un prete passava per strada, lo si salutava non come gli altri con un normale «buongiorno», ma con un «sia lodato Gesú Cristo!» e lui rispondeva «sempre sia lodato!», sollevando appena il suo tricorno nero.

A quei tempi la domenica era ancora «la domenica»: il weekend era parola e prassi sconosciuta, nessuno andava via per gite o viaggi, ma tutti dalle cascine disper-

se in campagna e dai luoghi di lavoro cercavano di ritrovarsi, di incontrarsi per «fare due parole» e rinnovare cosí la conoscenza e l'amicizia. La domenica iniziava quand'era ancora buio, alle cinque, con la «messa
bassa»: una celebrazione al lume di candela, senza canti né predica, che finiva velocemente, pensata per le ma-
dri e le donne di famiglia, perché alle sei potessero già
tornare a casa per dedicarsi alla cucina; il pasto dome-
nicale, infatti, doveva essere davvero festivo. Alle otto
c'era poi la messa per i bambini, seguita dal catechismo
tenuto dalle suore; ma era davvero domenica attorno alla messa delle undici, la *messa granda*: già dalle dieci si
formavano in piazza capannelli di uomini che parlavano tra loro, a volte ridendo e scherzando, ma piú sovente lamentandosi del tempo, delle malattie nell'orto e nella vigna, delle diverse «disgrazie» che il contadino te-
me e conosce bene. In chiesa entravano solo donne,
ragazze e qualche raro anziano devoto e cosí iniziava la
messa cantata con molta convinzione e fervore, anche
se quella gente semplice di campagna non capiva né
quello che cantava in latino né tanto meno quello che,
sempre in latino, diceva il prete.

Il prete, dopo alcune formule recitate ai piedi del-
l'altare, saliva gli scalini e cominciava a «dire messa»,
voltandosi solo per qualche «Dominus vobiscum», cui
la gente rispondeva «et cum spiritu tuo», ma cosa di-
cesse il prete negli *oremus* o cosa leggesse dal messale
nessuno lo sapeva o lo capiva. Messalini per i fedeli a
quell'epoca non ce n'erano, non li avevano nemmeno le
suore: quelli famosi del Caronti o del Lefebvre erano
merce rarissima e io, conoscendo bene il latino, ero uno

dei pochi che poteva seguire ogni parola. Quanto al Vangelo, il prete lo leggeva dapprima in latino sull'altare, con le spalle girate al popolo, poi si voltava e, recatosi alla balaustra, lo leggeva in italiano per la gente: era quello l'unico testo che tutti capivano, seguito dalla predica in cui trovava spazio ogni genere di ammonizione ed esortazione, attinente piú alla situazione e alle vicende locali che non al brano appena letto. Al momento dell'offertorio – ero chierichetto sempre presente – il prete mi mandava fuori sulla piazza a chiamare gli uomini perché entrassero a «prendere messa», altrimenti quella non sarebbe stata piú «valida» per loro. Cosí, mentre le donne recitavano il rosario sottovoce e gli uomini continuavano a parlottare, la messa procedeva spedita, con il prete che bisbigliava tutte le formule. Solo al momento dell'elevazione il campanello avvertiva, svegliava e richiamava tutti; mentre il prete innalzava prima l'ostia poi il calice e si genufletteva, il silenzio si faceva totale e assoluto: chi chinava la testa, chi si metteva in ginocchio, tutti vivevano con grande timore il momento culminante di tutta la messa. Il sacrestano, che se ne stava nel campanile in attesa, sentito il campanello del chierichetto, faceva a sua volta rintoccare la grande campana che diffondeva quel richiamo solenne per tutto il paese e la campagna. I devoti rimasti a casa o per strada si facevano il segno della croce, mentre i piú prosaici commentavano: «è quasi finita, si può buttare la pasta...» Prima della comunione del prete – normalmente l'unico a comunicarsi durante la messa –, gli uomini uscivano dalla chiesa e riprendevano i loro capannelli, mentre le donne intonavano canti pii e devoti. Era l'ora in cui ciascuno tornava a casa per il pranzo perché ormai «il dovere era stato fatto».

Ma la domenica non finiva a tavola con il pasto abbondante in cui quasi sempre regnava il «bollito»: molti, soprattutto donne, bambini e vecchi, tornavano presto in chiesa per i vespri e poi c'era la doverosa visita al cimitero, perché allora si esprimeva soprattutto cosí l'amore che si provava per i morti. Verso l'imbrunire si rientrava a casa, ci si toglieva «il vestito della festa» e si tornava al vivere quotidiano segnato dal lavoro da mattina a sera.

Che dire oggi di quella messa «antica»? Era senz'altro consona a quel tempo che era davvero il tempo della cristianità e confesso che a me non ha fatto male, anzi, mi ha fornito una robusta spiritualità cristiana. Tuttavia non ne provo nostalgia, anche se è sempre restata per me un inestimabile monumento della fede, e ne vedo anche con lucidità i limiti: solo pochi capivano cos'era la messa, i piú ne riempivano il tempo con la recita del rosario o le chiacchiere sul sagrato. Le letture bibliche erano scarsissime: un paio di brani dell'Antico Testamento in tutto l'anno, testi quasi unicamente del Vangelo di Matteo e ammonizioni dell'apostolo Paolo. Le messe feriali poi erano quasi sempre «da morto», con le medesime letture ripetute ogni anno per circa trecento giorni in latino: si imparavano a memoria, sí, ma quanto a capirle e ad approfondirne il senso... L'unica variante, ma quasi solo «scenografica», erano le messe da morto dei ricchi e dei notabili, nella cosiddetta «prima classe»: si montava in chiesa un catafalco altissimo e sovente arrivavano anche due preti da fuori; tutto era piú solenne, cantato con piú cura e con la partecipazione delle confraternite cui il ricco defunto aveva lasciato offerte.

Altri tempi, sí. Ma si avvertiva già un'aria di cambiamento: la chiamavano secolarizzazione, e il prete metteva in guardia dalla modernità che avanzava, dai costumi «americani» – in chiesa si parlava addirittura di «americanismo» come eresia cattolica e pericolo incombente! –, dal boom economico. L'arguzia dei contadini sapeva però fare dell'ironia anche su queste ammonizioni severe. Ricordo mio padre, amicissimo del curato anche se assolutamente non praticante, che di fronte all'ennesima predica del parroco contro il consumismo dilagante, gli disse: «Ma come! Quando mangiavate solo voi i capponi era Provvidenza, adesso che li mangiamo anche noi è consumismo!» Anche cosí, in quel tempo, si viveva, si cercava di essere cristiani, si scherzava, riconoscendo tuttavia il dono prezioso che un prete poteva essere per tutto il paese e per una convivenza serena, per una vita segnata da convinzioni etiche condivise dai piú.

Il Natale è per l'uomo

Il Natale, ormai, è una festa non solo riservata ai cristiani ma sempre piú carica di una valenza antropologica. I valori della quotidianità, del tessuto della vita, le relazioni umane, l'amicizia, l'amore, la fraternità sono ormai legati a questo giorno al punto che anche là dove vi è contrapposizione tra credenti e non credenti, la festa rimane tale per tutti: magari, invece di «Buon Natale!» i non credenti si augurano un piú generico «Buone Feste!», ma il clima dell'incontro, della gioia, dell'intimità è da tutti condiviso. Il Natale è un'autentica occasione per riaccendere una speranza che riguarda l'umanità intera; in questo senso tutti noi sappiamo benissimo «cos'è» il Natale.

Eppure ciascuno di noi ne ha un'immagine personalissima, legata ai ricordi d'infanzia e ai tanti Natali vissuti, a volti e parole di persone amate, a consuetudini che ha voluto conservare o ricreare, e ciascuno cerca di viverlo ogni anno secondo quell'immagine. Del resto, il porre l'accento sull'uno o sull'altro degli aspetti del mistero dell'incarnazione risale fino alle origini stesse della festa. È almeno dal IV secolo che i cristiani il 25 dicembre fanno memoria della nascita di Gesú Cristo a Betlemme di Giudea: una data scelta perché in quel giorno il mondo romano celebrava e festeggiava il «so-

le invitto», il sole che in quel giorno terminava il suo
progressivo declinare all'orizzonte e ricominciava a salire in alto nel cielo, aumentando cosí la durata della luce offerta alla terra. La notte, che dal 24 giugno aveva
sempre accresciuto le sue ore, cominciava ad arretrare
davanti al sole vincitore che come un prode cresceva al-
l'orizzonte. E siccome per i cristiani Gesú il Messia è il
«sole di giustizia», la «luce vera», fu naturale collocare in quel giorno di festa pagana la celebrazione della
natività del loro Signore. D'altronde la venuta del Messia era già stata salutata da Israele e dai profeti come
«venuta, apparizione della luce», come «luce che ri-
splende per quelli che stanno nelle tenebre».

Questa inculturazione del cristianesimo non è stata
facile e forse il Natale dei cristiani conservò, almeno per
i piú, qualcosa di pagano, di estraneo alla fede se papa
Leone Magno nel v secolo doveva biasimare «quei cristiani che prima di entrare nella basilica di San Pietro
dopo aver salito la scalinata che porta all'atrio superiore
si volgono verso il sole e piegano il capo in suo onore»!
La meditazione cristiana faceva di quella festa il giorno
dell'incarnazione di Dio, il giorno in cui è avvenuto uno
scambio: «Dio si è fatto uomo perché l'uomo diventi
Dio».

Poi, nel II millennio, soprattutto in Occidente, la meditazione del Natale si è progressivamente concentrata
sul «bambino Gesú», sulla sua umanità, sulla sua debolezza e sulla «novità ordinaria» costituita dal venire al
mondo di un uomo: l'evento non fu piú letto tanto come manifestazione, venuta di Dio, quanto come mistero della povertà, dell'umiltà, della debolezza di Dio.

Francesco d'Assisi seppe interpretare bene questo aspetto, creando il presepe di Greccio: una stalla, una mangiatoia, Maria, Giuseppe e il neonato, un asino e un bue, i pastori venuti ad adorare il bambino su invito dei messaggeri di Dio. Il presepe è la riproposizione iconica o scultorea di quell'evento umile e povero che, se ci pensiamo bene, è tra i piú umani e quotidiani: una donna che partorisce un figlio. Scena oggi piú rara in Occidente, e per lo piú relegata negli ospedali, ma un tempo abituale anche nelle nostre famiglie. Sí, una nascita, un essere umano che viene al mondo, è di per sé qualcosa che nella sua normalità stupisce: emerge il «terzo», appare il nuovo e lo si accoglie con gioia e con buona disposizione del cuore. È un evento di speranza: chi vi assiste, in particolare se ormai avanti negli anni, è abitato e consolato dal pensiero che il mondo va avanti, che la vita fiorisce e si moltiplica, che un futuro migliore è possibile, segno tangibile del nostro essere immessi in una catena di generazioni. Credo sia anche per questo che il presepe ha avuto tanta fortuna nell'Occidente cattolico, ma anche tanta narrazione iconografica nell'Oriente ortodosso.

Nel Nord invece, dove il sole non dà evidenti segni di vittoria nel gelido inverno, la festa è segnata da un albero, l'abete, evocazione dell'albero della vita: un albero che resta vivo e verde nel bianco della neve è il vincitore sul rigore del freddo nelle steppe brulle. Ecco allora l'albero vicino alle case e alle chiese o addirittura al loro interno, addobbato di colori e di luce, quasi obbligato a fiorire e risplendere al cuore della notte invernale.

Se il modo di percepire e celebrare il Natale è cambiato nei secoli, i mutamenti si sono fatti piú rapidi in questi ultimi decenni, al punto che chi è anziano può misurarli nell'arco della sua stessa esistenza. Un tempo, negli anni dell'immediato dopoguerra e fino al boom economico, periodo da me trascorso nella campagna monferrina, il Natale era davvero la festa piú importante dell'anno e non certo per i regali, allora tali per modo di dire e ben scarsi. Alcune volte c'era qualcosa da donare ai figli, ma altre volte i genitori sconsolati dicevano con molta naturalezza che non c'era niente perché l'annata era stata cattiva. Quando c'erano, i regali erano frutta secca, cioccolatini, caramelle, il panettone oppure, se ci si scostava dai dolci, un quaderno piú bello, una nuova penna, qualche matita colorata...

Eppure, si attendeva il Natale con ansia. Iniziata la novena di preparazione, noi bambini andavamo nei boschi a raccogliere il muschio, cercavamo carta da pacco che spruzzavamo con vari colori e poi l'accartocciavamo perché assumesse la forma di rocce, grotte, speroni di montagna. Quindi su un tavolo in cucina o nella sala si disponevano le statuine del presepe, cercando ogni anno che la composizione assumesse un aspetto diverso. Era davvero come allestire un dramma sacro: nella grotta si metteva la mangiatoia vuota, Maria e Giuseppe, l'asino e il bue; sulla soglia i pastori che adoravano e portavano i loro semplici doni; piú sopra gli angeli sormontati dalla stella che brillava in alto luminosa (lí venivano in aiuto le prime luminarie che cominciavano a diffondersi nei negozi e sulle bancarelle del mercato); attorno, la campagna riproduceva ambienti familiari:

specchi d'acqua con le oche, prati con pecore, agnelli e asini, poi le case con la gente intenta ai propri mestieri: il mugnaio, il fabbro, il falegname... Lontano, ai margini, austero su una rocca, vi era il castello di Erode e lassú erano collocati i magi con i loro cammelli, che ogni giorno venivano spostati di qualche passettino in modo che giungessero alle soglie della grotta il giorno dell'Epifania. Noi bambini mettevamo tanta cura in quell'allestimento perché sentivamo di poter vivere dentro di noi quello che cercavamo di raffigurare. Mi ricordo che mi mettevo accanto al presepe con il Vangelo in mano e che, in base a quello che vi leggevo, disponevo e spostavo statuine e personaggi. Ero sorpreso di non trovare nel Vangelo l'asino e il bue, che pure mi erano cosí familiari e che consideravo necessari per riscaldare quel bambino che stava per venire «in una grotta al freddo e al gelo»! Il parroco mi aveva rassicurato dicendomi che il profeta Isaia aveva scritto che «il bue riconosce il suo Signore e l'asino riconosce la greppia del suo padrone» (Isaia 1.3). Questo mi aveva tranquillizzato e, poco alla volta, portato a capire che anche le povere bestie, cosí come i semplici pastori e i sapienti magi, avevano saputo riconoscere la venuta di Dio nel mondo, mentre invece re potenti, sacerdoti, scribi, uomini religiosi non se ne erano accorti. La vigilia di Natale, poi, si pregava tutti attorno al presepe: noi bambini contemplavamo quelle lucine che nella povertà del dopoguerra erano capaci di stupirci con i loro colori e il loro lampeggiare, ma nello stesso tempo eravamo attratti dal mistero di un infante deposto sulla paglia, incapace di parlare, eppure proprio quel bambino era il Dio per noi e tra di noi, il Dio che per amore nostro volle farsi uno di noi.

Qualcuno, invece del presepe, addobbava l'albero, anche se quest'usanza non era gradita al parroco, perché aveva un vago sapore «protestante», e l'ecumenismo doveva ancora trovare spazio nella chiesa. Io li preparavo entrambi, l'uno accanto all'altro, e quando mi mancava il pino, piantavo in un vaso una scopa di saggina capovolta, la scompigliavo e la addobbavo di luci e palle colorate. Sí, nello stupore creativo di noi bambini anche la scopa, cosí umile e necessaria, a Natale conosceva il suo momento di gloria luminosa.

Ma ciò che faceva percepire a tutti la gioia del Natale erano i preparativi per il pranzo, anche nelle famiglie piú povere: le pentole che bollivano con il cappone, le donne che si riunivano per preparare insieme i ravioli e predisporre le sette portate «canoniche», indispensabili perché il pranzo fosse «il pranzo di Natale», un unicum in tutto l'anno. Gli uomini invece cercavano il ceppo da mettere nel camino: non la solita legna, ma un ceppo nodoso e grande, che durasse dalla sera fino al ritorno dalla messa di mezzanotte, quando si rientrava a casa intirizziti dal freddo, perché la chiesa non era riscaldata e per molti il tragitto fino a casa era lungo. E a quella messa andavano tutti, anche quelli che durante l'anno non si facevano mai vedere in chiesa: l'umile semplicità del Figlio di Dio, che appariva come il figlio di una coppia di poveri in viaggio, inteneriva anche i cuori piú duri.

Il parroco dal canto suo sapeva cogliere quell'opportunità unica, sapeva far valere la sua autorità che stava tutta in una parola franca, schietta, nel suo sapersi fare eco della buona notizia del Natale. Cosí, semplicemente, chiedeva a tutti di essere piú buoni, di riconciliarsi con coloro con i quali si era in lite, di perdonare le offese. Non chiedeva altro, perché nel suo sapiente discernimento sapeva che per quei contadini che uscivano dal paese solo per andare al mercato nella città vicina, ciò che condizionava la loro vita e la loro felicità, oltre al pane, la casa e il vestito, erano i rapporti quotidiani con gli altri: parenti, vicini, conoscenti. Sí, pace, concordia, armonia erano capite cosí: la pace, quella che era sperimentata con il finire della guerra, era percepita come una «grazia»: «Questo non è piú un Natale di guerra, – dicevano, – siamo contenti e ringraziamo Dio». Con la consapevolezza cioè che quel tipo di pace non dipendesse da loro, ma dai potenti che decidevano le sorti della pace e della guerra. Mentre la pace quotidiana, l'armonia nella vita familiare e nei rapporti sociali, quella sí che dipendeva da ciascuno custodirla e farla vivere. Cosí il parroco non dedicava parole e pensieri ai grandi del mondo, ma esortava con voce accorata quelli che lo ascoltavano anche solo in quell'occasione affinché coltivassero durante tutto l'anno quel desiderio di armonia e concordia sperimentato nella notte di Natale.

Cosí, anche il Dio che a volte nelle parole del parroco era il Dio irato che mandava la grandine sulla vigna di quelli che lavoravano alla domenica o che bestemmiavano, tornava al suo volto autentico: un Dio buono, che capiva gli uomini e chiedeva loro solo di essere buoni, sull'esempio di suo Figlio, Gesú. E quest'immagine di un Dio umanissimo riaccendeva la speranza di una vita migliore anche in quegli uomini rudi, che silenziosi si mettevano in fila come bambini per baciare il piedino di quella che era sí solo una statua, ma capace di rievocare tutta l'inerme innocenza di un neonato.

Oggi queste usanze, cosí legate a una vita contadina e a un mondo piú semplice e piú povero che in Occidente non conosciamo piú, sono scomparse, e i cristiani scoprono di non essere piú «padroni» del Natale, una festa ormai strappata loro di mano. Tuttavia sta proprio a loro, con la loro «differenza» nel vivere il Natale, essere i custodi del senso profondo della festa e i testimoni della speranza che celebrano: «l'uomo è un animale chiamato a diventare Dio». Sí, attraverso un'umanizzazione della loro vita, della vita con gli altri, della vita nella polis, i cristiani saranno piú fedeli che mai alla loro identità mentre coloro che cristiani non sono potranno solo beneficiare del servizio per una migliore qualità della vita offerto dai cristiani. Non si celebra la venuta di Cristo nella carne contrapponendosi agli altri, mostrandosi angosciati e cinici e limitandosi a demonizzare quanti non vivono il Natale da cristiani perché non hanno la fede. «Non di tutti è la fede», ci ricorda sempre l'apostolo Paolo, ma tra tutti è possibile tessere cammini di pace, di giustizia, di perdono, di ascolto reciproco.

Vegliare insieme

Sono nato e cresciuto in un paesino del Monferrato nicese, e lí ho vissuto fino all'età dell'università, dopo aver perso mia madre a otto anni. Ai tempi della mia infanzia, adolescenza e prima giovinezza, Castelboglione era un insieme di colline con le cascine avvolte nei vigneti, e con qualche famiglia raccolta attorno agli edifici principali del borgo: una manciata di case facevano corona alla chiesa, l'asilo infantile, la scuola elementare, il municipio e l'ufficio postale. Una realtà di cose e gente semplici in cui il parroco, la maestra e il dottore – nessuno diceva ancora il «medico» – venivano chiamati appunto con il nome della loro funzione ed erano le persone cui tutti facevano riferimento come ad autorità morali da rispettarsi e da ascoltare per la loro saggezza.

Non era una realtà comunitaria: ricordo ancora la fatica che durai, nemmeno ventenne, per convincere i viticoltori a riunirsi per costituire la cantina sociale... Ognuno viveva molto solo, ogni famiglia se la doveva cavare da sé perché anche tra parenti si era raramente in buoni rapporti: grandi solitudini e a volte anche la miseria che nel dopoguerra era particolarmente crudele. Allora come adesso la fatica, la vita dura e la povertà rendevano alcuni ancor piú grami, incattiviti, li spingevano a vivere contro tutto e contro tutti; altri invece, di fronte alle stesse avversità, si facevano compassione-voli, si raddolcivano, diventavano piú sereni e capaci di fronteggiare gli ostacoli della vita.

Dalle cascine piú isolate, lontane dal paese, sembra-vano «uscire» con piú frequenza persone rozze e scor-butiche, quasi incapaci di esprimersi, dai tratti a volte anche violenti: non frequentavano né la chiesa né l'o-steria, sembravano sempre in fuga e la gente li definiva «servatici». L'ubriacatura di vino era invece piú diffu-sa e manifesta: molti vi si abbandonavano per stordire la solitudine e la vita grama. Bevevano al bar fino a tor-narsene a casa barcollando, a volte bisognava addirittu-ra accompagnarli con fatica mentre cantavano e urlava-no nella notte. Che sentimento di tristezza, a volte perfino di paura, suscitavano quella grida nelle notti si-lenziose, nelle lunghe e fredde serate invernali in cui la maggior parte della gente se ne stava rinchiusa in casa accanto al focolare!

L'amicizia era rara, una parola quasi da evitare, co-me se appartenesse di diritto ad altri mondi e fosse in-terdetta nella nostra realtà: chi si allontanava dal paese per studiare poteva arrivare a conoscerla, ma gli altri, i contadini, tutt'al piú si sentivano «in compagnia»; per l'amicizia, assieme al vocabolario stesso, mancava la possibilità di sperimentarla. C'era, appunto, la «com-pagnia», unico antidoto per combattere la solitudine e l'isolamento, che si nutriva di un rito antico e straordi-nario, scomparso solo con l'avvento della televisione: l'*avgé*, il vegliare nelle serate invernali. D'estate non c'e-ra tempo: si lavorava alla sera finché era chiaro e il mattino dopo ci si alzava presto per faticare prima che arrivasse il gran caldo. Ma a ottobre, con il buio che scendeva presto, con le nebbioline che avanzavano e il freddo che faceva capolino tra le vigne, ecco iniziare la stagione dell'*avgé*. I primi raduni erano ancora all'aperto, sulle aie, dove ci si trovava per «sfogliare» il granturco: vecchi adulti, bambini, tutti erano seduti per terra attorno al mucchio delle pannocchie raccolte nei campi e portate a casa sul carro tirato dai buoi. Si cantava, si beveva un po' di vino, si raccontavano storie, si scambiavano battute: insomma, si «socializzava» come diremmo oggi. I ragazzi poi non mancavano di divertirsi tirando qualche pannocchia sulla testa degli adulti, forti dell'anonimato garantito dall'oscurità incipiente.

Quando poi il freddo si faceva piú pungente e le aie erano ormai pulite, con tutte le pannocchie raccolte e stese ad asciugare sui ballatoi, gli incontri si spostavano all'interno delle case e si trascorrevano insieme alcune ore di «veglia». I piú poveri si raccoglievano nelle stalle, dove la presenza degli animali assicurava un certo tepore, gli altri si radunavano in cucina, attorno alla stufa o al camino. Gli uomini sovente giocavano a carte, le donne rammendavano, cucivano e soprattutto parlavano, i bambini si divertivano tra loro, con quella fantasia che sapeva trasformare l'oggetto piú insignificante nel gioco piú appassionante. Ma quando gli uomini iniziavano a «contare storie» sempre molto colorite, allora anche i bambini si fermavano e ascoltavano rapiti.

Vegliare: operazione di disarmante semplicità che consentiva di far fronte alle lunghe notti invernali, di sfuggire alla solitudine e di alleviare l'isolamento, di scambiare idee e pareri, di soddisfare le curiosità ascoltando e riferendo le notizie piú o meno vere che riguardavano la vita del paese. Momento davvero prezioso, unica opportunità di stare insieme allargando il nucleo familiare. Non a caso chi non se la sentiva di partecipare a motivo di un lutto familiare recente, o di una sofferenza ancora troppo grande per essere condivisa, se ne restava da solo a casa, e beveva triste fino ad addormentarsi con la testa appoggiata al tavolo e la radio accesa che gracidava i suoi programmi di informazione e intrattenimento.

Vegliare insieme: poca roba, dirà qualcuno. Eppure io da piccolo e poi da ragazzo quante cose ho imparato dai quei discorsi, dalla ricchezza di quegli scambi... Agli anziani era dato di trasmettere cosí, naturalmente, senza enfasi, la loro esperienza: i ricordi cessavano di essere una questione personale e diventavano «storia» passata da cui emergeva il presente e si poteva riflettere sul futuro.

Avgé è rimasto per me un rito prezioso che, pur modificato, ha attraversato anche i primissimi anni di vita comunitaria a Bose, quando eravamo pochi fratelli, in una grande povertà, senza luce elettrica, con solo il fuoco di un camino a riscaldarci: eppure, quante riflessioni sulla vita degli uomini nella storia del mondo, sulla chiesa, sulle attese del concilio, sul progetto monastico che stava prendendo forma nelle nostre vite; quante riletture comunitarie degli eventi quotidiani alla luce del Vangelo, quanti scambi di doni nella semplicità di una parola offerta e accolta...

Ma ho memoria anche di un altro «rito» della mia giovinezza, una tradizione alla quale non ho mai partecipato e che mi incuteva tristezza e apprensione: mentre si vegliava o anche piú tardi, quando già si era a letto, alcuni passavano in gruppo per le strade e le cascine a *canté j'euv*, a «cantar le uova». L'amico Carlin Petrini recentemente ha voluto ricordare e rinnovare quest'usanza, dipingendola come un bel momento di festa condivisa, ma io ne conservo un ricordo molto triste: nella mia esperienza, quelli che cantavano le uova erano sovente ubriachi, schiamazzavano nella notte e a volte incutevano paura per i metodi spicci e gli scherzi pesanti con cui condivano il loro girovagare notturno. Sí, non per tutti sono buone le stesse cose: per me tutto ciò che era legato all'eccesso, alla violenza – soprattutto alla violenza campagnola accettata come ordinaria nel quotidiano familiare, quella violenza alla quale nessuno osava o pensava di doversi ribellare – era fonte di ansia e tristezza e rovinava anche un rito di per sé giovanile e scanzonato come il «cantare le uova».

I grandi maestri

Mi sono sempre chiesto – e continuo a chiedermelo senza riuscire a trovare una risposta – perché nella mia vita tutti quelli che mi sono stati maestri, le persone da cui ho imparato, dall'infanzia fino a oggi, erano e sono uomini e donne «soli», cioè con una vita segnata dalla solitudine nelle sue varie forme: persone non coniugate, girovaghi, mendicanti, monaci. Sta di fatto che se anch'io come tutti ho avuto molti maestri – alcuni dei quali conosciuti e apprezzati per la loro intelligenza, la loro esemplarità, la loro profezia – non di meno quelli che io considero per me maggiormente determinanti sono stati dei solitari anonimi e sconosciuti ai piú, persone di cui non ritroviamo tracce o documentazione scritta.

È vero che fin da piccolo avevo un'attrazione verso i mendicanti, le *lingère* che apparivano nei poveri paesini del Monferrato passando di porta in porta, mendicando qualcosa da mangiare o cercando di vendere piccoli oggetti come carta da lettere e bottoni. Una simpatia spontanea suscitata, credo, dal comportamento di mio padre, che non voleva assolutamente che ci si accontentasse di dar loro qualcosa da mangiare sull'uscio di casa lasciandoli fuori dalla porta, ma li faceva entra-

re e sedere a mensa con noi, mescendo lui stesso il vino
per loro, fin dall'inizio del pasto. Erano mendicanti sovente sporchi e puzzolenti ma, diceva mio padre, «loro
portano sempre bene»: nessuna superstizione in questo,
ma la consapevolezza che un gesto di umanità gratuita
non poteva che suscitare altro «bene» in un mondo che
tendeva a richiudersi su se stesso. Cosí ho imparato molto presto a scoprire autentici tesori di umanità in poveri uomini cenciosi che tuttavia conoscevano bene la vita perché l'attraversavano nella fatica, nell'estraneità,
nell'ascoltare molto e nel parlare poco.

Uno di questi grandi maestri anonimi, però, è stato
per me un vicino di casa, Pinot: non sposato, viveva con
una nipote ed era sovente preso in giro per una malfor-
mazione al cuoio capelluto – lo chiamavano *Furmaget-
ta*. Aveva un bellissimo orto in un terreno che in seguito dovette cedere per fare spazio alla costruzione della
cantina sociale del paese: Pinot ogni mattina scendeva
nell'orto a lavorare per poi tornare a casa verso le undici con ortaggi e verdure che servivano per il pranzo e la
cena. Bambino di una famiglia che non possedeva ap-
pezzamenti di terra perché il padre non era contadino,
io ero molto incuriosito dal lavoro agricolo e sovente,
fin da piccolo, mi accodavo a Pinot e scendevo con lui
nell'orto. Quell'uomo semplice e buono mi ripeteva
sempre: «Ricordati che per fare un orto ci vuole acqua,
letame, ma soprattutto una *ciuènda*!» Sí, per l'orto non
basta che ci siano gli elementi che fanno crescere una
pianta, ci vuole anche la *ciuènda*, la recinzione fatta di
canne – piú tardi sostituite dalla rete metallica – e di
pali che protegge l'appezzamento di terra dagli anima-

li che minacciano di devastarlo: cani, conigli, a volte il cinghiale, piú raramente anche altre persone attratte dall'idea di poter raccogliere senza aver seminato. Cosí, alla fine dell'inverno e anche ogni volta che si apriva qualche varco, aiutavo Pinot a riparare la *ciuènda* e piú che i segreti della coltivazione degli ortaggi imparavo una lezione di vita perché l'orto è una grande metafora della vita spirituale: anche la nostra vita interiore abbisogna di essere coltivata e lavorata, richiede semine, irrigazioni, cure continue e necessita di essere protetta, difesa da intromissioni indebite. L'orto, come lo spazio interiore della nostra vita, è luogo di lavoro e di delizia, luogo di semina e di raccolto, luogo di attesa e di soddisfazione. Solo cosí, nell'attesa paziente e operosa, nella custodia attenta, potrà dare frutti a suo tempo.

Mi sono quindi appassionato molto presto all'orto, soprattutto alle piante aromatiche: prezzemolo, basilico, borragine, erba cipollina, menta, timo, maggiorana, rosmarino... Piantavo talmente tante piante di rosmarino, che Pinot si lamentava, perché sottraevano terreno agli ortaggi: «Basta rosmarini, quelli non si mangiano!» Io però ero già allora affascinato e sedotto dai profumi e dagli aromi che emanano da quelle pianticelle: umili erbe che, utilizzate con discernimento e sapienza, sanno rendere gloriose con la loro gratuità le pietanze piú sostanziose. Cosí, a quattordici anni chiesi in dono a mio padre di affittare per me un fazzoletto di terra dove potessi avere il «mio» orto. Venni esaudito e da allora non sono mai riuscito a vivere senza accudirne uno: arrivato a Bose per iniziare una vita monastica, ho subito avviato un orto – che ora altri conducono, ricavandone frutti meravigliosi in ogni stagione –, e anche oggi continuo a tenere un orticello vicino alla mia cella, interamente dedicato alle erbe aromatiche. Non riuscirei a vivere senza quest'orto che non solo dà gusto ai cibi, ma mi insaporisce l'anima. Del resto, continuo ad andare in quello lavorato dai fratelli e dalle sorelle, perché non trovo soddisfazione piú grande del mangiare i pomodori raccolti dalla pianta, dell'accarezzare i peperoni carnosi, il «cuneo» e il «quadrato d'Asti», dello strappare uno spicchio d'aglio per mangiarmi, fattasi notte, nella mia cella, una *soma* di pane, olio buono, sale e aglio... Sono momenti in cui ripenso sovente con gratitudine a Pinot, che mi insegnò tramite l'orto ad avere un sano rapporto con le «cose»: non mi spiegava solo a piantare, seminare, far crescere, ma mi aiutava anche a capire perché occorre seminare in se stessi, coltivare se stessi, far crescere se stessi e attendere i frutti.

Anche nella mia vita a Bose non è venuta meno la grazia di avere piccoli grandi maestri di umanità. Ne vorrei ricordare almeno due, attraverso i quali fare memoria anche di tutti gli altri: Enrico il sediaio e Muretin. Enrico era un girovago che si guadagnava la vita fabbricando e impagliando sedie: percorreva tutta l'Italia del Nord con la sua bicicletta, sulla quale caricava gli attrezzi del mestiere e la paglia. Arrivava a Bose all'inizio dell'inverno, chiedendoci di trascorrere con noi – allora non eravamo neanche una decina – le settimane piú rigide dell'anno per poi riprendere il suo lavoro itinerante. Era un povero girovago, ma aveva doti straordinarie non solo nello svolgere il suo lavoro – un

mestiere che purtroppo si andava perdendo – ma anche
nella capacità di dialogo: attento a ogni parola che gli
veniva rivolta, rispondeva con una sapienza e una dolcezza che aveva acquisite vivendo con dignità un'esistenza di cui altri avrebbero detto: «Ma questa non è
vita!» Quando stavamo insieme dopo cena accanto al
camino e bevendo un bicchiere di vino, da lui uscivano
parole acute come frecce che, senza ferire, colpivano il
cuore e vi restavano impresse al punto che sovente le ri-
meditavo prima di addormentarmi nella mia cella. Erano sempre parole di compassione e di simpatia verso gli
altri, uomini e donne che aveva incontrato: «Se sono
cattivi non è colpa loro, è perché hanno sofferto senza
capire perché...», «fare del bene agli altri significa farlo innanzitutto a se stessi», «gli uomini cattivi vanno
compatiti perché non sanno quello che dicono né quello che fanno»...

Mite e buono, penso che, come è passato da me, cosí sarà passato in tante case, impagliando qualche sedia
ma lasciando soprattutto il suo sorriso, la sua dolcezza.
Una sera d'inverno, mentre percorreva in bicicletta la
salita della Serra per venire a Bose, fu travolto e ucciso
da un'auto che nemmeno si fermò: lo ritrovammo con
al collo la piccola croce di legno che gli avevamo regalato perché «quando sono solo per strada nella notte
– diceva – la stringo forte e mi sento in compagnia». Lo
seppellimmo nel cimitero di Bollengo, sotto una croce
con la scritta «Enrico De' Conti, sediaio» – era fiero
del suo cognome «nobiliare» –, e lí andiamo sovente a
trovarlo, come per ascoltare ancora una volta le sue semplici parole di bontà verso tutti.

Ma l'avventura umana piú bella l'abbiamo vissuta con Umberto Veronesi, detto «Muretin». Una notte fummo svegliati da urla che venivano dalla strada provinciale poco lontana dalle nostre case a Bose: un uomo con gli abiti in fiamme gridava di dolore e invocava aiuto. Due ragazzi lo avevano visto assopito sul ciglio della strada, gli avevano versato addosso della benzina e avevano appiccato il fuoco per poi fuggire nella notte. Lo portammo all'ospedale di Ivrea dove rimase per piú di un mese, poi lo invitammo a trascorrere la convalescenza in comunità. Scoprimmo che era un orfano uscito da un istituto di Milano a undici anni per essere adottato da una coppia che gli diede il nome e poco piú: già a quattordici anni aveva iniziato a girovagare lavorando qua e là a giornata nei campi, senza casa, né famiglia, né terra... Ormai aveva piú di cinquant'anni, era piccolo e minuto, con due occhi vivacissimi; terminata la convalescenza, chiese di poter restare con noi, offrendoci quella che era sempre stata la sua unica risorsa, due braccia abilissime.

Cosí un girovago iniziò a vivere con noi monaci, in un clima di accoglienza reciproca: lavorava nell'orto, si industriava in mille lavoretti e, pur non essendo monaco, mangiava in refettorio, si sedeva in fondo alla chiesa durante la preghiera comune e recitava i salmi che aveva imparato a memoria quasi subito, senza che nessuno glielo avesse chiesto. Bisognava vedere come teneva la stanzetta che gli avevamo assegnato: nessuno dei miei fratelli ha mai custodito la propria con la cura e l'attenzione che Muretin aveva per la sua; quando glielo facevamo notare, rispondeva semplicemente: «Puoi capire... Non ho mai avuto in vita mia una stanza tutta per me! Adesso che ce l'ho, la tengo da conto».

Rimase con noi cinque o sei anni, poi un tumore alla vescica se l'è portato via alla vigilia del sessantesimo compleanno, ma anche nella malattia finale è stato per me e per la mia comunità di grande insegnamento. Lo chiamavamo «Muretin» perché ci aveva detto che cosí lo chiamava sua madre, «quella vera», una madre che lui non aveva mai conosciuto perché lo aveva abbandonato ancora in fasce; di lei parlava sempre con sentimento di grande pietà, come se la durezza incontrata nella vita – «E ti pareva... capitano tutte a me!» disse semplicemente quando gli venne diagnosticato il tumore – gli avesse fatto capire la debolezza, la fragilità umana, la nostra capacità di fare del male a volte senza saperlo o senza coglierne la responsabilità.

Certo, a volte, soprattutto nei primi tempi, saliva in paese e si ubriacava: allora rientrava quasi di nascosto, umiliato da questa sua debolezza; altre volte ci telefonava da un bar, con la voce impastata dal vino e dalla vergogna, perché lo andassimo a prendere. Ma era un uomo buono, di grande cuore e con un'intelligenza acutissima sulle vicende umane: i fratelli che hanno lavorato con lui e che gli sono stati piú vicini hanno imparato tanto dalla sua sapienza, anche su aspetti della nostra vita monastica.

Pinot, Enrico, Muretin... sono questi che io considero i miei grandi maestri, uomini semplici che hanno intrecciato la loro vita con la mia e che hanno seminato chicchi di sapienza e bontà, solitari che sapevano vivere una comunione umana grande come il loro cuore.

Nascere e morire in comunione

Essendo nato nel marzo del 1943, durante la seconda guerra mondiale, sono stato svezzato sotto le bombe, mentre repubblichini e tedeschi scorrazzavano nei nostri paesi seminando paura, terrore e morte. Forse è anche per questo che fin da piccolo mi dicevano che ero un po' *trunò*, un po' suonato. La mia era una famiglia povera: mio padre di mestiere era stagnino, ma per tirare avanti faceva anche il barbiere, il vetraio, l'elettricista... Mia madre era gravemente malata di cuore e anch'io seppi già da piccolo che sarebbe morta presto. Nacqui in casa – allora non si andava a partorire in ospedale –, e la mia nascita fu travagliata: del resto i medici avevano sconsigliato a mia madre, cosí malata, di avere figli. Mio padre, che non era frequentatore della chiesa, volle chiamarmi con un nome che non fosse di un santo e cosí scelse «Enzo» e come tale mi iscrisse all'anagrafe, ma mia madre, che invece era una donna piena di fede, volle chiamarmi «Giovanni». Con questo nome fui battezzato di notte, portato al parroco da una vicina di casa, molto amica di mia madre.

Cresciuto, seppi perché non fu mia madre a portarmi al battesimo: a quei tempi, una donna che aveva avuto un figlio era ritenuta impura e cosí erano altri della famiglia a portare il neonato al battesimo, mentre la madre restava a casa e per quaranta giorni non poteva entrare in chiesa. Ricordo che da bambino a volte vedevo di pomeriggio una donna diventata madre aspettare quasi nascosta davanti alla porta secondaria che dalla canonica andava in chiesa, il prete le andava incontro con la stola viola, gliela porgeva perché la baciasse e poi la introduceva in chiesa, pronunciando su di lei una preghiera: era il rito di purificazione della puerpera.

Mi dissero che per la mia nascita la festa fu molto ridotta: mia madre era molto provata dal parto, si viveva nella miseria e si era in tempo di guerra. Ma erano le condizioni di molti in quei tempi nei nostri paesi, senza contare il tasso elevato di mortalità neonatale e infantile. «Muore piccolo chi al cielo è caro», dicevano in paese nel trasmettere la notizia, quasi che Dio mostrasse il suo amore per qualcuno chiamandolo a sé con una morte precoce! Se qualcuno invece diceva che era il destino, veniva subito zittito: «Chi crede al destino nega Dio!» Ma erano anche questi segni di una battaglia contro la morte, il dolore, la perdita di chi si era tanto atteso: una battaglia vissuta con fede in un Dio che allora era visto soprattutto come «Provvidenza».

Eppure, anche nella miseria c'era gioia per una nuova nascita: ci si rallegrava insieme con semplicità, mettendo da parte la preoccupazione per la comparsa di una bocca da sfamare in piú. Era il segno fragile ma tangibile che la vita andava avanti. Una vita dura, faticosa nella quale però si coglievano le rare occasioni di festa, momenti attesi e vissuti come momentanea sospensione della miseria e delle sofferenze. Natale, la befana, il carnevale e poi la festa patronale in estate... poche feste ma percepite davvero come tali, allietate con la semplicità di pasti abbondanti e preparati con cura, celebrate dai piú anche recandosi in chiesa dove c'era la messa grande e solenne, vissute da alcuni, in particolare i piú giovani, ballando sul «palchetto» allestito per l'occasione. La musica era anch'essa garantita con mezzi poveri, ma efficacissimi: una fisarmonica, una tromba, un mandolino... Non c'era altro per far festa, ma non per questo si era meno felici di oggi, quando molteplici sono le occasioni e i modi per divertirsi e rallegrarsi.

Anche i matrimoni erano occasione di gioia condivisa: il banchetto lo si faceva in casa o sull'aia, a volte si chiamava qualche donna del paese piú esperta in cucina per arricchire la varietà delle pietanze, alcuni per l'occasione riuscivano a strappare persino qualche nuova ricetta dalla perpetua del parroco, considerata una delle migliori cuoche. Quanti piatti prelibati sono stati introdotti, grazie a queste circostanze, nella cucina semplice e povera del Monferrato!

Ma come la nascita e la festa avvenivano in casa, nel quotidiano, cosí anche la morte era parte di quell'unico flusso vitale e familiare. Morire a casa propria era il desiderio del malato e dei parenti che tutto predisponevano a tal fine. Oggi, al contrario, la maggior parte delle persone muore in ospedale o al ricovero e tutto concorre affinché il malato concluda nell'estraneità di un luogo «altro» un'esistenza che sovente ha faticato a trovare un «focolare» attorno al quale edificarsi. Eppure, mentre ciascuno nasce senza averlo imparato, a morire

si impara, e si impara soprattutto vedendo altri morire
nella quotidianità, in comunione e nella pace.

Nella mia infanzia il paese intero era reso partecipe
degli ultimi momenti di vita di un moribondo: le notizie sulla salute circolavano senza il consueto tono di pet-
tegolezzo curioso, ma con discrezione commossa; le vi-
site al capezzale dapprima si intensificavano poi si di-
radavano per rispettare la fatica e il dolore crescente; il
suono delle campane e i movimenti del parroco scandivano l'avanzare dell'agonia. In casa poi, tutti erano al
capezzale del malato, dai vecchi ai bambini ciascuno se-
guiva con partecipazione l'evolversi del male e, giunto
il momento, si riuniva in preghiera attorno al prete che
amministrava l'estrema unzione. Il moribondo, che nel
corso della sua vita aveva assistito tante volte alla morte degli altri, capiva che era giunta la sua ora: questo, il
piú delle volte, lo rappacificava, gli dava la forza e la se-
renità per un ultimo «grazie», un sorriso, una parola o
un gesto di affetto. Nulla di spaventoso in un evento
pur cosí triste e doloroso, solo un commiato tra persone che magari avevano come tutti faticato ad amarsi,
ma che avevano condiviso la vita e che in comunione
vivevano la morte: nessuno moriva solo! Per questo era
tanto temuta la morte improvvisa che rendeva impossi-
bile questa preparazione e questa condivisione di affetti.

Ricordo quando, un pomeriggio del settembre 1951,
mentre ero in strada a giocare, sentii rintoccare la campana dell'agonia: capii che suonava per mia madre e cor-
si a casa mentre sopraggiungeva il parroco. Quando,
uscito il prete, l'amica di mia madre – quella che mi aveva portato al battesimo – mi introdusse nella stanza da

letto, ascoltai le parole che mia madre rivolse a me, a mio padre e all'amica: una povera donna di grande fede che se ne andava a poco piú di trent'anni, lasciando suo marito e l'unico figlio nella solitudine e nella miseria. A me disse solo: «Vedrai, io di là farò piú di quanto ho potuto fare di qui per te...» Non ho ricordi del funerale, non so nemmeno dire se vi partecipai, ma da allora imparai anch'io ad andare al cimitero ogni domenica pomeriggio dopo i vespri: una visita doverosa sí, ma fatta con affetto, recitando qualche preghiera e salutando chi non c'era piú e aveva lasciato un vuoto pesante per un bambino di otto anni. Eppure confesso che ebbi il dono di vivere la morte di mia madre come momento di vita e di comunione.

Piú tardi, molto piú tardi avrei capito con la ragione quello che avevo sperimentato in modo cosí naturale: l'importanza di non morire soli! Se la vita è relazione con gli altri, anche il morire va custodito in questo spazio di comunione. Lo sforzo che oggi tutti sembrano voler fare per allontanare la morte significa invece imporre al morente di morire «prima» rispetto all'ora della morte fisica: chi sta per morire è considerato un testimone scomodo della morte che attende tutti. Viene perciò emarginato, anche fisicamente, dagli spazi comuni, e si finisce in tal modo per privarlo della «propria» morte. Sí, nascere e morire cosí, non soli ma in comunione, è un grande dono che libera dall'angoscia e rappacifica con la vita, in una dimensione che va al di là della morte, perché piú forte della morte è l'amore.

Contare i propri giorni

«La nostra vita arriva a settant'anni, ottanta se ci sono le forze»: molte cose sono cambiate nei tremila anni che ci separano da questo salmo che dà autorità di parola di Dio alla sapienza umana, eppure la verità che contiene è una delle poche a non essere sostanzialmente mutata, nonostante il progressivo elevarsi della speranza di vita e dell'età media, i progressi della medicina e l'industrializzazione del lavoro. Sí, settanta, ottant'anni, dopo *l'è ura d'andé*, come recita la sapienza dei contadini del Monferrato cui mi sento profondamente legato. Cosí anch'io, da quando ho varcato la soglia dei sessant'anni, mi confronto con la vecchiaia proprio a partire da ciò che su questa età della vita dicono la Bibbia – il libro che, come cristiano e come monaco, non mi stanco di frequentare per trovarvi una parola per la vita – e gli «anziani di giorni» che ho avuto la sorte di incontrare lungo il mio cammino.

Leggendo la Bibbia si ha l'impressione che la vecchiaia sia una beatitudine, perché la vita è il bene supremo e vivere a lungo, fino alla «sazietà dei giorni», può significare pervenire alla sapienza del cuore e ad assumere una funzione testimoniale per le nuove generazioni. La soddisfazione di una vita vissuta fino al suo termine naturale, una vita feconda e conclusasi nella pace è la massima beatitudine promessa come premio al «giusto». Un profeta anonimo dell'esilio, volendo delineare un tempo in cui le sorti di Israele perseguitato sarebbero state capovolte, dirà: «... non ci sarà vecchio che non porti a pienezza i suoi giorni» (Isaia 65.20). La morte è vista come un evento naturale verso il quale camminare senza angoscia né paura, senza per questo negare il decadimento fisico, il venir meno del calore della vita, l'affievolirsi del corpo e delle sue facoltà fisiche e psichiche... Così la vecchiaia riceve dalle indicazioni bibliche, come in tutte le antiche tradizioni religiose, un avvenire: essa ha un compito «testimoniale», deve cioè trasmettere la sapienza e il patrimonio umano e religioso accumulato nel lento scorrere delle vicende umane. L'esperienza degli anni diviene sapienza come arte del vivere e fa degli anziani persone di discernimento e capaci di consiglio. Certo, l'equivalenza tra vecchiaia e sapienza non è per nulla assoluta né scontata – ci si imbatte anche in anziani privi di senno o incalliti nel male – ma per la Bibbia l'ultima stagione della vita è caratterizzata sí dalla diminuzione delle forze ma anche accompagnata da un arricchimento interiore e, proprio per questo loro essere fragili e sapienti i vecchi vanno onorati e rispettati.

Oggi la nostra esperienza legge la vecchiaia in modo meno pacato e positivo, soprattutto nelle società industrializzate e urbanizzate che hanno smarrito quella naturalezza dell'alternarsi delle stagioni e dei cicli vitali. Ora che ho varcato la soglia della vecchiaia e che vivo da anni attorniato da gente piú giovane di me, ritrovo qualcosa dell'attitudine biblica verso la vecchiaia nel ricordo degli anziani che ho conosciuto durante l'infanzia e l'adolescenza nel mio paese natale. Erano gli anni dell'immediato dopoguerra, nei quali si imboccava con fatica la strada che avrebbe portato al boom economico: i vecchi avevano attraversato due guerre mondiali, molti avevano combattuto al fronte, avevano visto amici e compagni cadere uccisi oppure emigrare in cerca di fortuna e di lavoro, alcuni avevano perso i figli nella seconda guerra mondiale o nella lotta partigiana. Per molti non era certo la vecchiaia serena e tranquilla di chi si gode il frutto del lavoro di una vita all'ombra della vigna e del fico, attorniato da figli e nipoti. Forse anche per questo alcune verità emergevano con semplicità dai loro discorsi sulla soglia di casa o attorno a una tavola rallegrata da una bottiglia di vino genuino e da qualche fetta di salame.

Uss fadíga a sté al mund: momenti di stanchezza non solo fisica, eventi tristi che appesantivano l'esistenza trovavano in quel «si fatica a stare al mondo» espressione e un po' di conforto. Non si è ancora giunti a una vecchiaia inoltrata, ma si fa strada la consapevolezza nuova del tempo che passa rapidamente e del fatto che questo scorrere diventa una tragedia. Dopo i sessant'anni ci si ritrova piú fragili, ci si stanca piú facilmente e piú in fretta, la vista si affievolisce e il corpo perde agilità. Inizia cosí un tempo in cui l'orizzonte finale della propria vita non appare piú cosí lontano e diventa arduo rimuoverlo dalla mente: il pensiero della fine incombe, si fa ricorrente, appare ogni volta che si deve prendere una decisione che riguarda il futuro. Le reazioni sono diverse, certo, ma tutte riconducibili a quel *uss fadíga a sté al mund* che fa seguito alla grande tentazione dei cinquantenni, il cinismo; cosí, se anche si è resistito e non si è ceduto al cinismo, un segno di questa lotta è rimasto: non si conosce piú quell'entusiasmo cosí decisivo in passato.

Si fatica a *stare al mondo*: lo spazio-tempo della vita conosce ormai un vocabolario proprio, che gli viene applicato con pudore e difficoltà, ma che a poco a poco si impone. Si paragona l'età alle stagioni dell'anno, e allora è l'autunno, del quale si scorgono però solo le foglie che cadono, non il ribollire dei tini colmi di vino; si pensa alle ore del giorno e allora è il crepuscolo, ma se ne coglie solo la malinconia, non il pacifico ricomporsi del creato alle soglie della notte... Ci si consola come si può, con frasi fatte che suonano vuote sotto la loro superficiale doratura: «Non conta l'età fisica... L'importante è sentirsi giovani nel cuore...» In realtà, la vecchiaia è una tappa, un cambiamento della vita, una trasposizione di quel che si è: a vivere la vecchiaia si impara, cosí come si impara a camminare. Ci si addentra allora in un'avventura, che è sí avventura di spoliazione, ma che non contraddice l'irrobustimento dell'uomo «interiore», dell'«uomo del cuore». La sera mostra ciò che è stato il giorno, diceva Erasmo, perché ognuno ha la vecchiaia che si merita. Ma anche questo dato è poi sempre vero? Pregi e difetti di ciascuno vengono infatti ingiganditi dalla debolezza della vecchiaia, ma non sempre le vicende umane e le persone che attorniano l'anziano gli consentono di raccogliere davvero ciò che ha seminato.

Cosí, poco alla volta si arriva ad ammettere che si è

diventati vecchi, si è entrati nella «terza età», come si usa dire oggi: un'età cui, per i piú longevi, ne seguirà un'altra, la «quarta». «Sono vecchio!», diciamo a malincuore, con una voce che si vorrebbe serena ma che spesso è velata di malinconia e di sofferenza. Perché è *vita groma per i vegg*! Come ricordava una canzone di Jacques Brel che cantavo a vent'anni, «i vecchi, i vecchi tremano, si assopiscono, vanno dal letto alla finestra, poi dalla finestra alla poltrona, poi dal letto al letto...» Si ha un bel dire che la vecchiaia non è una malattia, ma la fragilità che aumenta, i dolori alla schiena o alle gambe che si fanno sentire, rendono «grama» questa età, un'età che, grazie alla fine del lavoro e delle attività, potrebbe costituire un tempo per «godersi la vita», per vivere liberamente quello che piú ci sta a cuore. Fa capolino la solitudine, perché si percepisce che la «vita» autentica scorre accanto ai vecchi, lasciandoli ai margini; si fa strada anche la paura della malattia e della dipendenza che ne deriva, l'angoscia della perdita della memoria: si comincia a dimenticare i nomi, le cose da fare. Ricordo i vecchi del mio paese che si facevano un nodo al fazzoletto per ricordarsi qualcosa, ma poi nel soffiarsi il naso mormoravano avviliti: «Ecco, ho fatto il nodo, ma non ricordo piú per cosa...» Davvero vita grama per i vecchi.

Poi si passano i settant'anni e occorre esercitarsi alla pazienza e cominciare a percepire ogni giorno come regalato, perché l'orologio del corpo non inganna piú nessuno. I movimenti piú quotidiani – alzarsi dal letto, camminare, salire le scale... – si fanno lenti, pesanti: si sperimenta cosa significa «restare indietro» quando gli

altri avanzano. Allora ci si tiene in esercizio con qualche passeggiata o con una partita a bocce, chi abita in
pianura risolvera la bicicletta cercando strade poco fre-
quentate, ma la rigidità si fa sentire come inseparabile
compagna: *A sun rèid*, «Sono rigido», è il lamento che
accompagna dal mattino alla sera ogni movimento ri-
chiesto. Il corpo è sempre piú lento, la psiche pure, mentre il tempo appare sempre piú veloce, si accorcia giorno dopo giorno, come la luce nei freddi pomeriggi di dicembre.

Il vecchio non sa nemmeno cosa rispondere a chi gli
chiede «come va?» Non può certo dire «bene», ma non
vuole neanche lagnarsi, come a volte ha sentito fare ad
altri piú vecchi di lui. E allora, *A suma que!*, «Siamo
qui!»: non stupore in quest'affermazione ma piuttosto
tanta sapienza. Non significa tanto «sopravviviamo»,
ma piuttosto «stiamo ancora al mondo»: «siamo qui!»
è l'affermare il presente proprio mentre tutto ciò a cui
si guarda e si può guardare è il passato, il passato che
vive nella memoria, il passato che è il grande patrimonio del vecchio. Persone ed eventi popolano questo passato e da esso emergono nitidi e forti i ricordi della fan-
ciullezza, gli anni piú lontani, quasi che il vecchio cer-
chi il bambino che è in lui: il vecchio ha bisogno del
bambino, quello nascosto in lui e i bambini che gli stanno attorno, segno della generazione che viene. Forse oggi la tristezza di molti vecchi è accresciuta proprio dalla
scarsità di bambini attorno a loro: un mondo si chiude
e non riescono a scorgere le promesse di quello futuro.
I vecchi vivono di ricordi, e nei ricordi si rifugiano come per stringere l'unica ricchezza che rimane loro.

Contare i giorni diventa un'arte, una maestria, a volte una fatica, ma diviene un esercizio indispensabile: contare i giorni perché è l'ora di riconciliarsi con la finitudine della vita, con la quale ci si scontra anche assistendo alla morte attorno a sé dei pochi coetanei rimasti, delle persone che erano state compagne di una vita. «Vengono meno i compagni – dice un proverbio monferrino – e ne appare uno nuovo: il bastone», trasposizione popolare del famoso enigma della Sfinge: «Qual è l'animale che al mattino cammina a quattro zampe, a mezzogiorno a due e alla sera a tre?» Si entra nell'«atrio della morte», uno spazio che in questi decenni si sarà anche esteso, ma che resta pur sempre l'anticamera della morte, una situazione in cui l'attesa non è certo più lieve perché più lunga di qualche anno...

Finché sulle labbra dei vecchi non compare un'altra espressione: *L'è ura d'andé*, «È ora di andare!» Quella frase che da adulti si diceva ai bambini per mandarli a letto alla sera, ora da vecchi la si ripete a se stessi perché si è ormai stanchi di vivere: vivere, infatti, è un mestiere e alla lunga stanca. «È ora di andare»: rappacificata confessione di chi, seduto con lo sguardo sfocato, scruta la strada soleggiata fuori dall'uscio di casa o, d'inverno, il fuoco che crepita nel camino e che non si ha più la forza di rattizzare. Stanchi anche di chiedere l'aiuto degli altri, di aspettare che vengano a sostenerci, ad accompagnarci: di loro si ha bisogno, si sa anche che lo fanno volentieri, eppure non si vuole essere loro di peso... È proprio ora di andare!

Questo è quanto riesco a leggere della mia vecchiaia ormai imboccata e della vecchiaia di quanti ho conosciuto e amato. Come sarà d'ora in poi il mio percorso? Troverò ispirazione nella speranza cristiana? Oppure, ma non vi è contraddizione, seguirò il sentiero che ho imparato da giovane alla scuola dei vecchi della mia terra? E sarà una vecchiaia segnata dalla malattia, dalle sofferenze, dall'oblio fino all'ottundimento? Ma il mio compito, il compito di ciascuno di fronte alla vecchiaia che incalza non è prevederla bensí prepararla, colmando la vita di quanto può sostenerci fino alla morte.

Indice

Stampato per conto della Casa editrice Einaudi
presso Mondadori Printing S.p.A., Stabilimento N.S.M., Cles (Trento)

C.L. 19488

Ristampa						Anno			
5	6	7	8	9	10	2009	2010	2011	2012